AUTOPSIE
D'UNE AMITIÉ

Mylène Arpin

AUTOPSIE
D'UNE AMITIÉ

Autopsie d'une amitié
Dépôts légaux :
Bibliothèque nationale du Québec
Bibliothèque nationale du Canada

Saint-Pie (Québec)
J0H 1W0 Canada
www.leseditionsjka.com

ISBN : 978-2-923-672-14-4
Imprimé au Canada

À Jacqueline et Jean-Guy,
qui ont fait de leur mieux pour faire de moi,
la personne que je suis devenue.
À tous ceux qui, malgré tout, aiment la vie.

Prologue

C'est bizarre l'amitié. On promet de tout se dire, mais on oublie de se parler de l'essentiel.

On peut raconter une quantité industrielle de niaiseries, c'est d'ailleurs ma spécialité, mais quand ça devient sérieux, on perd l'usage de la parole et on accumule tout en dedans, jusqu'au jour où ça finit par éclater. Souvent trop tard.

Mon humeur est aussi imprévisible que la température. Je ris aux éclats, tout à coup en un rien de temps, ma vue s'embrouille pour un oui ou pour un non.

Mes illusions d'enfant se perdent lentement mais sûrement, jour après jour. Le temps s'effiloche au compte-gouttes. J'ai l'impression que je n'ai encore rien fait de ma vie.

Un jour, elle s'éprend du plus beau garçon de l'école, le lendemain elle tombe de haut, tout simplement. Toujours à cause de lui, mais pour une autre raison : il n'est pas intéressé. Je coule un examen d'histoire, deux heures plus tard, c'est la panique ! Comment va-t-elle conquérir ce jeune homme ? Chaque journée est remplie de péripéties plus ou moins dramatiques.

Nous nous accrochons à la vie, même si parfois c'est difficile. Malgré les hauts, les bas et les moments creux. Nous nous perdons dans les tumultes de la vie. C'est comme ça. Sournoisement, très tranquillement, une petite dérive de rien du tout.

C'est ce qui nous est arrivé à mon amie Michelle et à moi.

Ma vie avait été assez simple, sans histoire.

Heureuse, oui, on peut dire que je l'étais la plupart du temps, malgré mes nombreuses crises existentielles et mes sautes d'humeur. J'estime que je ne suis pas trop mal en point.

Il y a un an, ma vie a chaviré comme un vulgaire canot en plein océan. Le courant était trop fort. Je savais à peine pagayer. Je me suis accrochée du mieux que j'ai pu.

Chapitre 1

L'année dernière, six jours avant Noël.

— T'as vu comment il me regardait. Je suis certaine qu'il ferait des kilomètres à genoux, pour passer une seule soirée avec moi au cinéma.

— Si tu veux, je peux lui dire de t'appeler, ça risque d'être plus rapide et moins souffrant…

Michelle est en train de me rebattre les oreilles avec Paul, sa dernière flammèche. Je suppose qu'elle a oublié Charles, son copain depuis maintenant un mois, ce qui constitue un exploit personnel. Je me fais donc un plaisir de le lui rappeler ; il faut bien que les amies servent à quelque chose :

— T'es pas censée avoir un chum, toi ?

— C'est pas parce que t'as le cœur pris, que tes yeux arrêtent de voir.

Il faut croire que l'amour ne rend pas toujours aveugle. Je crois plutôt que Michelle n'est pas vraiment amoureuse de Charles. Son cœur est bien indécis. Elle butine à droite et à gauche, enfin n'importe où, du moment qu'il y a l'ombre d'une nouvelle conquête qui lui porte un certain intérêt.

C'est bien connu, il suffit de sortir avec un gars, pour que tous les autres s'intéressent subitement à nous. Je n'ai malheureusement pas ce genre de problème : je garde rarement une conquête plus d'une semaine.

Mimi s'imagine que tous les garçons de la polyvalente sont amoureux d'elle. S'il y en a un qui a le malheur de la regarder plus de cinq secondes, sa respiration devient saccadée, son cœur s'emballe et elle tombe en amour, littéralement. C'est toujours avec un enthousiasme délirant qu'elle s'agrippe à mon bras, évitant ainsi la perte de connaissance, la chute au sol et la brisure d'un de ses précieux membres.

— Des cheveux longs, avec un peu de roux. Tu sais que je craque pour n'importe quel rouquin. Pis des belles petites taches de rousseur. Un nez assez gros… mais c'est ce qui fait son charme. Un grand corps presque musclé…

Pendant qu'elle s'époumone à me décrire l'heureux élu, j'essaie d'oublier la journée cauchemardesque que je viens de vivre. Un seul réconfort : il ne reste qu'un examen avant Noël. J'angoisse déjà sur le résultat de mon examen d'histoire ainsi que sur la réaction de mon père. Les chiffres et les dates s'entrechoquent encore dans mon crâne bouillonnant.

Je ne déteste pas l'histoire, c'est seulement que je ne suis pas tellement préoccupée par le passé, en cette dure période de ma vie (l'adolescence). J'ai déjà considérablement de difficulté à vivre le présent.

C'est hier soir, alors que je combattais le sommeil dans l'espoir d'étudier et de mémoriser cette montagne de dates, que j'ai découvert une nouvelle méthode de mémorisation. Cette dernière n'est, de toute évidence, pas tout à fait au point. Pour l'instant, en attendant la crise de mon père, je tente d'oublier cet ulcère qui sommeille dans mon pauvre estomac.

J'essaie toujours d'imaginer le visage incrédule de mon père, si jamais il apprend ma façon d'étudier, pendant que Mimi poursuit sa conversation à sens unique :

— J'te le dis, je peux pas résister à un petit roux. As-tu vu ses beaux yeux verts ? C'est pas compliqué, j'y vois la mer des Caraïbes, un parasol, mon bikini...

Cette idée géniale avait germé dans mon cerveau, hier soir : j'allais étudier par voie subliminale. Sous l'emprise de mon concept novateur, j'avais enregistré mes notes de cours sur le dictaphone de mon père et je les avais écoutées à plusieurs reprises, avant de me coucher. Combien de fois ? Impossible de savoir puisque j'ai vite sombré dans un sommeil agité. Il me semble que l'idée n'était pas trop mauvaise, mais les résultats risquent de l'être.

Par contre maintenant, je sais que j'ai un truc infaillible pour combattre l'insomnie : mon enregistrement de notes de cours d'histoire ! J'en ai bien besoin puisque je passe des nuits blanches à me poser une foule de questions existentielles qui restent pour la plupart, sans réponses.

— Crois-tu que je devrais l'inviter à regarder des films chez nous ?

Je n'ai jamais beaucoup aimé l'école, à l'exception de quelques cours. Heureusement, je m'en tire assez bien, en étudiant très peu, tout en n'étant jamais très loin de la moyenne. Je n'ai pas de mérite, je suis faite comme ça. Je profite de l'occasion, pour remercier mes parents qui m'ont transmis ces gènes, bla-bla-bla…

— Crois-tu qu'il m'aimerait autant avec les cheveux un peu plus foncés ?

Depuis l'été dernier, j'ai enfin trouvé ce que j'allais faire de ma vie. Comme tous les enfants, j'ai déjà voulu devenir médecin. Mais puisque j'ai les piqûres, les opérations et les études trop longues, en horreur, j'ai décidé de m'orienter vers quelque chose de beaucoup moins exigeant. Mes deux grandes passions : la géologie et la paléontologie. J'ai déjà une collection assez impressionnante, à mes yeux, de fossiles. Cela n'impressionne pas trop Michelle qui croyait jusqu'à tout récemment, que la paléontologie appartenait à la grande famille de la psychologie.

Pour l'instant, j'apprends seule, je suis une autodidacte. Voilà un mot qui se glisse bien dans une conversation, en plus d'être excellent pour la culture générale de Mimi.

Elle monologue, depuis déjà un moment :

— Émilie... est-ce que tu crois qu'avec un petit peu de mascara, j'aurais l'air plus vieille ?

Depuis que nous fréquentons la polyvalente, je ne reconnais presque plus Mimi. Sa vie se résume à conquérir le plus beau gars possible : c'est un passe-temps comme un autre. Jusqu'à maintenant, c'est d'ailleurs son seul choix de carrière.

Depuis deux ans, Mimi est obsédée par la mode. Elle a changé trois fois de couleur de cheveux et au moins quatre fois de style vestimentaire (ce sont ceux que j'ai pu identifier). De la petite fille à maman (style : c'est ma mère qui m'habille), elle s'est adaptée à chaque nouvelle conquête. En ce moment, je ne pourrais déterminer son style.

Disons que c'est un heureux assortiment passe-partout qui pourrait laisser place à plusieurs possibilités.

Elle arbore encore, malgré tout, un restant de mèche verte dans le toupet : séquelle de la saison estivale, alors qu'elle s'était amourachée de Fred. Un genre de punk qui parlait un langage pour le moins douteux.

Moi aussi, je fais des efforts considérables, côté conquête masculine, pour mettre un peu de piquant dans ma vie, et par le fait même, alimenter la conversation avec Mimi. Malheureusement, j'appartiens à cette certaine catégorie de gens qui ne pogne pas. Je profite de l'occasion pour engueuler mes parents, parce qu'ils ont oublié de me transmettre quelques gènes essentiels et bla-bla-bla…

Je crois que je suis condamnée à être une vieille fille, quoique ce verdict semble relativement prématuré, vu mon jeune âge. D'ailleurs, jusqu'à aujourd'hui, je m'en sors bien. Je ne souffre pas trop et je n'ai pas encore entrepris de thérapie, même si certains soirs, je m'ennuie un peu. Je suis capable de vivre sans chum, la preuve : voilà quinze ans que je mène ma vie ainsi. Par contre, j'avoue que durant les douze premières années de mon existence, je n'avais pas vraiment conscience du sexe opposé. J'ai repris le temps perdu, depuis.

Michelle est persuadée que c'est la faute de mon signe astrologique, si je n'attire rien (à part les chats abandonnés). Elle ne passe pas une journée sans lire nos horoscopes. D'après mon signe vietnamien, je suis une personne surtout douée pour l'amitié.

Au revoir l'amour ! Veuillez raccrocher, il n'y a pas de service au numéro composé ! Déprimant !

Mais je suis bien décidée à déjouer ma destinée vietnamienne, refusant de croire à ces balivernes. Mimi ferait ma carte du ciel toutes les semaines, si je ne la retenais pas. Elle est même du genre à lire mon avenir, dans un egg roll éventré. Après, elle se demande pourquoi je ne crois pas à l'astrologie !

Pendant que je réfléchis sur ma triste vie, Mimi n'arrête toujours pas de divaguer sur cette nouvelle conquête :

— Peux-tu t'imaginer deux petites secondes dans ses bras chauds, moelleux... forts ?

Elle dit n'importe quoi. Je ne sais pas ce qui me retient d'ébranler d'une pichenotte son cerveau enflammé, qui est transformé simultanément en jello, lorsqu'elle parle du sexe opposé.

— Disons que je te donne le choix, entre Paul et Charles, lequel choisirais-tu ?

Il faudrait bien que je lui parle un de ces jours, des bienfaits du silence. En arrivant devant chez nous, je lui donne une petite claque sur le bras, pour lui faire comprendre qu'elle doit s'arrêter de parler, pour ne pas passer pour une folle. Ou pour quelqu'un qui a un ami imaginaire, ce qui n'est guère mieux.

Michelle serait sans doute un spécimen très intéressant, pour une recherche sur le comportement en société. Mais peu importe, puisqu'elle est surtout ma meilleure amie. Parfois, j'ai un peu de difficulté à l'endurer ; il ne faut pas s'en faire parce que je me tape sur mes propres nerfs, fréquemment. Mes parents mettent ça sur le dos de ma crise d'adolescence, mais moi, je leur répète vingt fois par jour, que je n'en ai pas. C'est dans ma nature d'être impatiente, d'avoir un sale caractère et je ne crois pas qu'il y ait beaucoup de place pour l'amélioration. Travailler sur ma personne pourrait être mon projet de retraite, dans une cinquantaine d'années.

— Si jamais tu veux que je te présente Jérôme, dis-le-moi, ça va me faire plaisir.

Bon, voilà maintenant qu'elle se sent l'âme d'une animatrice matrimoniale et que je dois être son premier cobaye.

— Non, merci.

— Je t'appelle ce soir, s'il y a du nouveau avec l'homme.

Je monte les marches qui séparent la rue de ma maison et j'entends le chant d'une petite mésange, ce qui est beaucoup plus reposant que le piaillement de Michelle. Je m'arrête juste avant de rentrer, mon regard s'élance sur le fleuve tranquille, je remplis mes poumons d'air salin. Enfin un peu de paix !

Il arrive parfois que j'aie mal à la tête, juste à l'entendre divaguer pendant des heures, sur l'espèce mâle et son comportement, pas toujours approprié, envers la gent féminine. Il y a tout de même du bon dans tout ça, elle a tellement eu de conquêtes différentes que j'apprends par ses erreurs. Je ne suis pas du genre à tomber dans les bras du premier venu. Je suis plutôt méfiante.

Je me demande parfois comment deux personnes aussi différentes que nous peuvent s'entendre aussi bien. Un autre grand mystère de la vie !

Chapitre 2

Même journée, dix minutes plus tard.

Mon manteau n'a même pas le temps d'atterrir dans un coin de ma chambre, que le téléphone sonne :

— Est-ce que je devrais mettre mes jeans ou ma jupette noire ? me lance Michelle, tout essoufflée.

Le terme jupette est employé ici, pour identifier une jupe vraiment très, très courte.

C'est évident, elle va me rendre folle avant la fin de la journée !

Je profite de l'absence de Carl, mon grognon de papa adoré, pour écouter ma musique, me répandre dans le salon et relaxer, tout en pensant à une nouvelle stratégie de mémorisation. C'est qu'il n'est pas facile à vivre, ces temps-ci. Sa santé mentale est précaire, depuis que ma mère a décidé de le quitter.

À tous les petits déjeuners, je ne sais pas trop sur quelle humeur je vais tomber. Je veux bien croire qu'il aime toujours ma mère, mais je deviens quoi là-dedans ? Je n'ai pas l'intention de jouer à la psychologue toute ma vie. De plus, tout le monde sait que le tact et la délicatesse, ne font malheureusement pas partie de mes quelques qualités.

On dirait qu'il a perdu son sourire « quelque part, en le rangeant à un endroit pour ne pas l'oublier ». Sur ce point, je suis pareille à mon père. Chaque fois que je range quelque chose de précieux dans un endroit particulier, dont je suis censée me souvenir, il n'y a pas de doute possible, cet objet est perdu à jamais.

C'est en partie la faute de ma chambre, enfin ma « soue à cochons », comme le dit si bien mon père. Il n'y a pas la moindre petite parcelle libre, que ce soit sur mon bureau, mon lit ou bien le plancher. C'est ce qu'on appelle « de la haute densité », ma chambre est un centre-ville de traîneries et d'objets hétéroclites, plus ou moins utiles. Pour ce qui est du sourire de Carl, je prévois me lancer à sa recherche sous peu.

« Je m'en arracherais tous les cheveux sur la tête, si je ne me retenais pas », me répète inlassablement mon père. Se retenir est encore la meilleure chose à faire dans sa situation : son pauvre crâne déserté, n'exhibe qu'une mince couronne ridicule.

« Ramasse tes affaires au fur et à mesure », me supplie Carl, tous les jours.

Je comprends le principe, mais j'ai d'autres priorités dans la vie. Le mot *ordre*, est synonyme d'armée pour moi, je suis une anarchiste dans l'âme. J'aime mieux m'éparpiller et il faut croire que je suis bien dans ma soue à cochons, après tout c'est la seule chose qui m'appartient vraiment, dans cette maison. Une fois par semaine, j'ai une petite crise de ménage, ce n'est pas le genre de chose qui dure très longtemps, il suffit de s'asseoir un petit peu ou bien de sortir, pour que ça passe.

Quand je suis vraiment en forme ou bien que mon père est tout près d'une crise d'apoplexie, je me lance à corps perdu dans le ménage. Lorsque la mission est accomplie, j'aperçois enfin l'ombre d'un sourire, sur le visage de Carl.

J'ai une technique bien particulière pour faire taire mon père et pour lui soutirer un sourire : j'empile toutes mes cochonneries dans ma garde-robe. Surprenant, tout ce que peut contenir cet espace. Attention, s'il tente d'ouvrir la porte. Je ne suis pas responsable des accidents !

Depuis que ma mère est partie, papa n'endure plus le désordre. Il est du genre à replacer chaque chose à sa place ; à refermer toutes les portes et surtout, à ne pas endurer la moindre poussière sur un bureau, la télévision et même en suspension dans l'air. Il me rend folle avec ses grands nettoyages mensuels. Le ménage, c'est un peu comme la grippe : pas plus de deux fois par année.

Aussi jeune que je me souvienne, ma mère est toujours partie, ensuite revenue, partie à nouveau, enfin, comme ça jusqu'à aujourd'hui. Tandis que mon père, lui, a maigri, engraissé, puis maigri encore, et ce, jusqu'à aujourd'hui. C'est un cycle, tous les deux ans ma mère va prendre l'air en octobre, pendant que mon père, lui, prend tellement d'air, qu'il en oublie de manger. Carl a deux garde-robes de tailles différentes, selon que ma mère est là ou non.

Ça fait maintenant un an, que maman est partie. Elle a refait sa vie près de Québec, avec quelqu'un ou quelque chose (c'est selon son humeur). J'ai bien peur qu'elle ne revienne pas. Le congé sans solde s'est métamorphosé, en retraite anticipée.

Mon père refuse de voir la vérité en face et attend toujours, Marie-Hélène.

Quelque peu épuisée par mes pensées, je sombre tranquillement dans une de mes activités préférées : le foirage. Je me prélasse dans ma paresse et risque de cogner des clous sous peu. C'est à ce moment précis et divin, quand le sommeil me tend enfin son épaule, que le téléphone reprend du service :

— Salut Émilie, tu te souviens de ma blouse noire ? Penses-tu que ça peut aller avec mes jeans noirs, ceux avec le trou ?

— Ça fait pas un peu sombre, comme le temps ?

— C'est pas le temps qui est sombre… c'est le village.

Je n'ose pas commenter cette réflexion qui nous entraînerait sûrement dans un débat à n'en plus finir et qui m'empêcherait de retrouver toute trace du sommeil.

D'après Michelle, Saint-Joseph-de-la-Rive est le village le plus endormant du Québec. Je ne suis pas tout à fait d'accord avec elle, mais c'est vrai que des fois, ça manque un peu de vie. Moi, j'aime bien le fleuve, le vent et le calme. J'habite juste en bordure du Saint-Laurent. L'été, les rayons du soleil se perdent dans quelques mètres d'eau très froide. Ici, il est impossible de se baigner, on ne peut que contempler. C'est bien comme ça.

C'est un petit patelin, on s'accroche à ce que l'on peut. Moi, c'est les fossiles ; Michelle, c'est plutôt les garçons. Tout le monde a le droit à ses passions ! Par contre, je dois avouer que j'ai une petite faiblesse pour Bernard Crevier. C'est le seul garçon de ma polyvalente qui n'est pas trop épais. J'irais même jusqu'à dire qu'il est intéressant. Impression sans fondement puisque je ne lui ai jamais vraiment parlé, mais ce sont des choses qui se sentent. J'imagine que c'est l'intuition féminine.

Comme il est en cinquième secondaire et que je suis seulement en quatrième, il n'était pas au courant de ma vulgaire existence, jusqu'à la semaine dernière.

De toute évidence, je suis plutôt ordinaire, le genre qu'on ne remarque pas vraiment. Quand les gars se retournent sur mon passage, c'est parce que je suis accompagnée de Mimi, tandis que moi, je passe inaperçue la plupart du temps. Je n'ai absolument rien de la déesse de l'amour.

On pourrait dire que le brun est ma couleur. J'ai les yeux et les cheveux bruns. Il y a aussi ces taches de rousseur, qui deviennent vraiment trop voyantes avec le soleil. Je hais le brun. Je n'ai même pas un petit reflet quelconque dans les cheveux, pour me faire oublier cette couleur insipide. Jeune fille propre (pour faire comme dans les petites annonces, pour trouver l'être cher), de taille moyenne, avec le poids proportionnel. J'ai tout de même une dizaine de livres en trop que je me tue à perdre dans toutes sortes de régimes débiles.

J'ai tout essayé : des dix verres d'eau par jour, en passant par les salades à toutes les sauces, jusqu'au régime à base de banane. Je suis persuadée que j'ai mangé à moi toute seule, la dernière récolte de La Martinique, au grand complet. Depuis cette expérience, je ne peux apercevoir une banane, sans que mon estomac fasse une dépression nerveuse, que mon cœur devienne arythmique et que mes papilles gustatives veuillent migrer. Comme les résultats de ces nombreuses souffrances se font toujours attendre, j'ai donc entrepris un cheminement laborieux vers l'acceptation de ma modeste personne. J'apprivoise mes quelques livres en trop, en me résignant un peu. Laissez-moi vous dire que ce n'est pas facile la vie, avec une colocataire qui vous colle aux fesses tout le temps ! Hé oui ! Il me semble bien que je sois du type poire !

Tout le monde me dit que je suis normale (qu'est-ce que la normalité ?). Je n'ai absolument rien, qui pourrait ressembler aux mannequins squelettiques des magazines féminins. Il s'agit bien de ces revues stupides (que je dévore chaque mois) qui débordent de publicités et de vêtements et qui ne s'adressent surtout pas aux gens normaux.

Tout de même, je n'ai pas épuisé toutes mes ressources, concernant les régimes, puisqu'il me reste une solution brutale : la grosse peine d'amour. Celle qui vous arrache le cœur, et vous fait pleurer toutes les larmes de votre corps. Une solution beaucoup plus facile, on maigrit si vite, lorsqu'on est abandonné. J'ai presque hâte !

Difficile de prévoir mon comportement, après cette dure épreuve de la vie. Je pourrais tout aussi bien m'empiffrer comme un porc, que faire la grève de la faim. À bien y réfléchir, je dois être du genre à manger mes émotions ! Vive le chocolat !

Détail important : la peine d'amour est toujours précédée d'un amour, entre deux personnes (si possible). Bernard Crevier est tout à fait la peine d'amour que j'aimerais avoir. Pessimiste comme réflexion, mais tout de même réaliste. Projet utopique, s'il en est, car ma future conquête ne m'a pas vue sous mon meilleur jour. C'est d'ailleurs la soirée où j'ai eu l'air le plus fou de toute ma vie. Quand j'y repense encore, ça me donne des crampes dans le ventre.

La semaine dernière, je suis allée dans mon premier party *open house*. Voici ma propre définition d'*open house* : un étudiant invite vingt personnes chez lui pour une petite fête. Ceux-ci le disent ensuite à dix autres et ainsi de suite, jusqu'au moment fatidique où la maison se retrouve trop petite pour accueillir la foule. Ensuite, le divan surchargé risque de s'effondrer au moment précis où les parents reviennent à l'improviste. Au grand plaisir de tous et chacun.

Pour faire comme tout le monde, j'ai joué au Capitaine Plouf. C'est un jeu qui ne requiert vraiment pas beaucoup d'intelligence. On s'assoit par terre, face à face, on met notre bouteille de bière entre nos jambes, avec le bouchon sur le goulot. Il s'agit de faire tomber le bouchon de la personne en face de nous, en lançant le nôtre. Quand on réussit, l'autre personne est obligée de prendre une gorgée de bière. Règlement non négligeable : on peut boire la quantité de bière que l'on veut, entre les lancers.

Je me suis aperçue assez rapidement que Bernard Crevier était meilleur au lancer de précision que moi. Après seulement une heure de jeu, j'avais déjà bu trois bières. Je n'aime pas tellement le goût amer du houblon. Rendue à cette étape, celle juste avant d'être malade, j'avais déjà perdu depuis longtemps, le sens du goût. Il faut dire que j'avais aussi bu du schnaps, une boisson allemande au pourcentage d'alcool élevé qui ramollit le cerveau et enlève le tartre sur les dents, quand il ne fait pas carrément fondre les plombages. J'imagine qu'il faut goûter à ça, au moins une fois dans sa vie. Voilà qui est fait !

C'est Bernard Crevier qui s'est occupé de moi, parce qu'il paraît que je n'étais pas trop belle à voir. J'ai été malade comme un chien et j'ai eu mal à la tête, durant au moins trois jours. Le seul point positif de cette soirée, c'est que je n'ai pas vomi une seule fois sur lui (enfin, c'est ce que l'on m'a rapporté). Je suis vraiment douée pour le romantisme !

On ne peut pas dire que ma méthode d'approche soit tout à fait au point, mais je perfectionne ma technique de jour en jour. En théorie évidemment, j'ai bien hâte d'arriver à la pratique. Je vais sûrement en traumatiser plus d'un. La séduction est un art que je ne maîtrise pas encore tout à fait.

Malheureusement, ce n'est pas avec mon charme caché et mon haleine de fond de tonneau que j'ai réussi à conquérir Bernard Crevier. Je ne me souviens de rien ! J'aurais pu passer la soirée dans les bras de King Kong que je ne m'en serais pas aperçue. Quoique je l'imagine l'œil méchant, l'haleine nauséabonde et beaucoup plus velu que Bernard Crevier.

Maintenant, chaque fois que je le croise dans le corridor, j'aimerais mieux me changer en casier plutôt que d'avoir à lui adresser la parole. Avant ce fameux party, je pouvais l'ignorer facilement, il ne savait pas que j'existais, mais aujourd'hui ce n'est pas évident : il a tout de même consacré sa soirée à me ramasser à la petite cuillère. De plus, je me sens obligée de rougir comme une imbécile quand je l'aperçois. Sans ouvrir la bouche, je réussis à faire une vraie folle de moi !

Je crains que la probabilité que je sorte avec lui un jour, ne soit pas très bonne. Je dirais même que mes chances de gagner le million à la 6/49 sont plus élevées. Cette vision ou ce fantasme, de Bernard et moi, épris l'un de l'autre, amoureux fous, est aussi utopique que de me voir mariée et mère d'une douzaine d'enfants avant mes vingt-cinq ans. Mathématiquement impossible !

J'abdique, je renonce et je me rends. Dorénavant, je jetterai mon dévolu sur quelqu'un d'autre, et tâcherai de ne pas me ridiculiser devant le mâle.

Pas moyen de relaxer. Mimi, plus excitée que jamais, est une fois de plus à l'autre bout du fil :

— Milie, penses-tu que je devrais couper ma mèche verte ?

— Ben non, il te reste juste un petit reflet…

Cette chère Michelle, je ne peux pas me passer d'elle et cela semble réciproque. Je la connais depuis que je suis haute comme la table chez nous. Elle a toujours fait partie de ma vie. Mimi habite à un coin de rue de chez nous. Voilà déjà dix ans qu'elle me fait mourir de rire, avec toutes ses mésaventures. Quand elle est dans les parages, on ne sait jamais à quoi s'attendre. J'ai d'ailleurs appris très vite à marcher en arrière de Michelle, plutôt qu'en avant. Elle a la fâcheuse habitude de s'accrocher après n'importe qui ou quoi, lorsqu'elle est sur le point de s'étendre de tout son long. J'ai souvent la chance d'être le qui ou le quoi, puisque je l'accompagne constamment. Ses pieds maladroits sont souvent pris dans les fleurs du tapis, un caillou ou bien dans un vulgaire rayon de soleil.

Le problème de Mimi se situe au niveau de sa coordination et de sa dextérité.

C'est ce que j'aime chez elle ; on ne peut jamais prédire dans quel état nous allons arriver à destination. Il n'y a, sur son corps, pas un membre qui n'ait été endommagé ou bien plâtré.

Mimi a passé une bonne partie de son enfance chez nous. Je n'oserais pas dénigrer sa mère, c'est une personne vraiment chouette lorsque l'on discute permission et liberté, mais disons que dans son rôle maternel, elle manque un peu de répétition. C'est une femme très occupée, tellement occupée à reprendre le temps perdu qu'elle vit à 200 km/h et que personne ne peut la suivre. Le temps perdu, c'est lorsqu'elle vivait dans une commune *love and peace*. Sa principale occupation étant de ne rien faire. La maisonnée refaisait le monde en fumant de l'herbe et d'autres substances toxiques non identifiées, dans un party continuel.

Il paraît qu'en ces temps glorieux, rien n'était

dangereux. La drogue était plus douce, les maladies sexuelles n'existaient pratiquement pas, et l'inconscience était de mise. Je suis, sans aucun doute, née dans la mauvaise époque.

Il semblerait que c'est dans un party que Mimi a été conçue. L'endroit était un peu douteux, tout comme l'origine du père, d'ailleurs. Elle aurait pratiquement vu aussi le jour dans une autre fête, mais sur une ferme entre deux poules.

Après la naissance de Michelle, la vie de sa mère avait basculé et la réalité l'avait rattrapée (c'est sûrement dû à l'accouchement douloureux et aux vingt-sept heures de travail intensif pour expulser le poupon de douze livres). Aubépine, c'était son nom de commune, a repris son identité, qui est relativement moins drôle, et dépoussiéré son diplôme. Laurence s'est trouvé un emploi pour faire vivre sa fille et lui donner tout ce dont elle avait besoin. Elle est travailleuse sociale et consacre beaucoup de temps à récupérer tous les mal-aimés des environs.

Vivre et laisser vivre ! Voilà la devise de Laurence. Au moins, Mimi n'a pas à supplier ni à quémander des permissions pendant des heures, comme moi. Elle fait ce qu'elle veut, quand elle le veut. Ce sont toujours les mêmes qui ont tout !

Chapitre 3

Cinq jours avant Noël.

Huit heures du matin, Mimi court déjà en arrière de moi. On dirait une poule à la tête fraîchement coupée. Difficile d'aller chercher du lait au dépanneur, incognito. C'est à croire qu'elle surveille mes moindres déplacements.

— Émilie, attends-moi ! Si tu savais ce qui m'arrive, tu peux pas t'imaginer.

Je déblatère, comme si de rien n'était :

— T'es allée au cinéma et t'es en amour par-dessus la tête avec lui.

— Comment t'as fait pour deviner ?

C'est à croire qu'elle ne se rend pas compte, que chaque vendredi soir elle va au cinéma avec un gars et que le lendemain matin, elle est amoureuse. Je prédisais même une peine d'amour pour le surlendemain.

Son corps survolté, tremble environ à 5,6 à l'échelle de Richter. Il manque seulement un filet de bave sur le bord de ses lèvres pour confirmer son extase devant sa nouvelle conquête.

Toujours égale à moi-même, je lui demande innocemment :

— Qu'est-ce que tu vas faire de Charles ?

— Charles ?

— Ben oui, ton chum !

— Ah oui, Charles ! J'le sais pas trop…

Je lui conseille de réfléchir un peu, pour éviter de regretter sa décision.

— Émilie, t'es trop méfiante. Je suis sûre qu'il m'aime… si t'avais vu ses yeux…

— Tu le connais juste depuis douze heures, tu trouves pas que t'exagères un peu ?

— Tu peux pas comprendre, je suis sûre que c'est l'homme de ma vie !

L'homme de sa vie ! La grande déclaration que voilà ! J'essaie de m'imaginer avec le même homme toute ma vie !

L'horreur ! L'apocalypse !

Pourquoi se contenter de visiter le Québec, alors que le reste du monde nous attend ? Je ne peux pas croire qu'il existe des gens qui sont persuadés qu'ils vont vivre avec la même personne toute leur vie. Il faut être conscient que nous faisons partie d'une société de consommation et que plusieurs produits s'offrent à nous. Comme tout consommateur averti, il est important d'être minutieux et d'inspecter la marchandise avant de faire un choix définitif ! D'après moi, les hommes ne devraient pas faire exception. On a qu'à regarder autour de soi pour voir que les couples unis pour la vie sont rares de nos jours.

Cheminer ensemble, main dans la main, durant vingt-cinq longues années.

D'une platitude incommensurable !

D'une insipidité monumentale !

Déprimant, je vous dis, d'un ennui mortel ! L'homme de ma vie ! Je crois que je ne m'en remettrai jamais.

Ça ne sert absolument à rien de discuter avec elle. Je la laisse divaguer sur l'amour de sa vie, le beau Paul !

— Il joue au hockey, c'est le capitaine de son équipe. Je vais aller le voir jouer ce soir, veux-tu venir ?

— Voyons Michelle, le hockey c'est la chose qu'on déteste le plus au monde !

— Non, non, c'est tellement intéressant, la stratégie de l'attaque, le jeu de passes, la défensive, renchérit Mimi, toute excitée.

Elle devient dingue la pauvre !

De toute façon, c'est impossible, puisque je pars tout à l'heure chez ma mère pour la fin de semaine.

J'ai hâte de la voir. Je ne peux pas en dire autant de son chum que j'ai rebaptisé : l'australopithèque. Je me demande où Marie-Hélène a déniché cet énergumène d'homme des cavernes, et encore, je suis gentille.

Lors de notre première matinée en famille rapiécée, il s'est présenté vêtu de bobettes à motifs léopard. Depuis ce jour, j'essaie de me remettre d'un traumatisme profond et je songe sérieusement à consulter un psychologue ou bien à déposer une plainte à la DPJ. C'est criminel de bouleverser une pauvre mineure, sans défense !

Quand je pense qu'il se vend encore des bobettes Tarzan léopard, ça me donne le vertige. Moi qui croyais que ce chic modèle n'existait plus. Discontinué ! Banni ! Expulsé du pays !

Je n'ai rien contre les léopards en particulier, mais disons que ce n'est pas une raison pour s'exhiber avec leur palette de couleur.

J'ai cette photo, imprimée à jamais, dans les méandres de mon cerveau. D'abord, les caleçons léopard avec l'élastique noir, camouflé quelque peu par un petit bourrelet peu discret, le tout, enveloppé d'une généreuse couverture de poils. C'est bien simple, je croyais qu'un ours noir était entré dans la maison. Seul point positif : ce sont tout de même les sous-vêtements qui m'ont ramenée à la réalité. Même un ours refuserait de porter ça.

J'ai mal au cœur, juste de revoir cette grossière image que je traîne dans mon hémisphère droit ou gauche (qu'est-ce qu'on s'en fout !) pour le reste de mes jours.

— Écoute ton horoscope, Émilie. Bonne journée pour le Verseau. Le 3 et le 5, sont vos chiffres chanceux. Une rencontre imprévue, vous mettra dans l'embarras. Restez positif !

J'essaie de me convaincre que Roger est beau à l'intérieur. Il n'a pas vraiment le choix, il faut bien compenser quelque part. Peine perdue, je n'y arrive pas. Une multitude de questions se bousculent constamment dans ma boîte crânienne.

Comment ma mère peut-elle vivre avec ça ?

Vivre, ça peut toujours aller, mais j'imagine qu'elle l'embrasse aussi parfois ?

Avec la langue ?

Encore pire, qu'elle dort dans le même lit, juste à côté de lui ?

Insupportable, qu'elle copule, sûrement ?

J'adore ma mère, mais parfois, l'amour a ses limites. C'est impossible pour moi de la comprendre, et surtout d'avoir une conversation potable avec cette touffe de poils ambulante qui remplace mon père dans son cœur.

C'est bizarre, parce que j'ai l'impression que Marie-Hélène, ma propre mère, est une étrangère que je ne connais presque pas. Parfois, je me sens très loin d'elle. Nos caractères sont peut-être trop opposés pour qu'il y ait une belle complicité entre nous.

J'ai parfois le goût de lui dire que le célibat est aussi un style de vie, que personne n'en meurt, j'en suis la preuve ainsi que mon père. Je veux bien croire que c'est difficile au début, mais il ne suffit pas de prendre le premier venu. Pour une aventure d'un soir, peut-être, à la limite. Mais, il y a une marge entre le loger, le nourrir et l'entretenir.

Depuis cette rencontre du troisième type, je me tue à essayer d'accepter les gens tels qu'ils sont. Pour la plupart du monde, ça va assez bien, mais disons que j'ai trouvé mon exception.

Je suis tombée de bien haut, moi qui croyais qu'avec le temps, le goût se développait et se raffinait. C'est sûrement pour cette raison que je me sens plus près de mon père. Nous nous efforçons de comprendre les aberrations de la vie

Chapitre 4

Même journée.

J'aime bien la banlieue de Québec. Je n'y resterais pas à l'année, mais une fois de temps en temps, ce n'est pas trop mal. Maman doit venir me chercher aux alentours de deux heures. Ma valise est prête, je guette impatiemment le bolide infernal. Je peux facilement reconnaître le rugissement de sa boîte à savon, à deux coins de rue de chez moi.

Quand j'entends enfin la chose, j'enfile mon manteau en moins de deux et, la main sur la poignée, j'attends que Marie-Hélène sonne. J'ouvre alors la porte et je lui saute dans les bras.

L'horreur ! La fin du monde ! Il est trop tard pour arrêter mon élan !

Je suis dans les bras de l'australopithèque de ma mère !

Je réussis à bafouiller tant bien que mal :

— Excuse-moi Roger, je pensais que c'était ma mère.

— C'est pas grave, ma belle Émilie, j'ai senti que ça venait du fond du cœur.

J'ai présentement le fond du cœur à l'envers et sur le bord des lèvres.

Pour me remettre de mes émotions, j'ai la chance de passer une heure en tête à tête avec lui.

Comment ma mère a-t-elle pu m'abandonner avec l'homme aux caleçons léopard ?

Je tente désespérément d'accepter cette dure épreuve de la vie. J'ai beau chercher des sujets de conversation, je n'en trouve pas un seul.

Par contre, Roger semble beaucoup plus inspiré que moi :

— Comment vont tes études ? Tu dois achever tes examens bientôt ?

Roger me pose toujours les deux mêmes questions, lorsqu'il me voit : l'école et mes amours. Je fais quand même un petit effort :

— Ça va, je finis lundi prochain.

Inévitablement, la deuxième question ne tarde pas trop :

— Une belle fille comme toi, ça doit faire des malheurs aux petits gars ?

Il rajoute ça avec son sourire niais, qui fait ressortir ses palettes qui ne sont pas aussi croches que je l'aurais souhaité.

Ah ! Parce que Monsieur s'imagine sûrement

que je vais lui raconter mes mésaventures avec le beau Bernard Crevier ! Je me retiens pour ne pas lui lancer une méchanceté du genre : « Depuis que je te connais, je n'ai jamais été aussi contente d'être célibataire, je songe sérieusement à rentrer chez les sœurs, d'ailleurs ». Mais je fais un effort surhumain pour ne pas lancer une bataille tout de suite, la fin de semaine est jeune.

— Je n'ai pas de chum en vue et il n'y a pas une file d'attente devant chez nous.

— C'est surprenant, une belle fille comme toi, encore sur le marché.

Un rosbif ! Je me sens comme un vulgaire morceau de viande dans son emballage. C'est très valorisant et ça m'aide beaucoup dans mon cheminement !

J'ai subitement envie de lui arracher les yeux et de les faire revenir dans la poêle avec du beurre. Malheureusement, ce genre de choses n'est pas accepté dans notre société, en plus d'être passible d'un séjour en prison. J'ai lancé, sans même me retenir une seule seconde :

— Pogner des épais dans ton genre, ça m'intéresse pas vraiment !

Le reste du trajet s'est fait en silence.

En arrivant à la maison, Marie-Hélène a bien senti le petit froid qu'il y avait entre Roger et moi.

Pas besoin d'avoir un diplôme en service social pour le constater. C'est tout juste s'il n'y a pas de la fumée qui me sort par les oreilles. Quant à Roger, il avait perdu son sourire.

— Vous les avez les faces de carême !

Je ne dis rien et je m'en vais directement dans ma chambre ou plutôt dans le bureau déprimant qui me sert de chambre. Je déteste Roger et je vais passer une journée entière avec son ombre grotesque à mes côtés. J'essaie de me raisonner, mais, c'est plus fort que moi, je me retiens pour ne pas pleurer comme une enfant. J'ai malheureusement passé l'âge.

Quelqu'un frappe à la porte.

— C'est qui ? marmonnais-je.

— C'est moi, ta *meman* préférée !

Elle a cette façon particulière de prononcer maman, qui me faisait sourire tout le temps, lorsque j'étais petite. Mais ce soir, je ne le suis plus.

Durant une seconde, je me dis que je n'ai pas le choix, puisque c'est ma seule mère (d'où la préférée). Je chasse cette idée à grands coups de remords.

La porte est à peine ouverte que je me vide le cœur :

— Pourquoi c'est lui qui est venu me chercher ? Tu le sais que je peux pas le sentir. Man, je comprends pas ce que tu fais avec lui. Tu l'as ramassé aux objets perdus ? Tu trouvais qu'il faisait pitié ? Tu mérites plus que ça. J'aime ça venir te voir, mais quand je vois sa grosse face de porc frais, j'aimerais mieux rester avec Carl.

Elle répond sur un ton vraiment calme (ce n'est pas tous les jours qu'on se fait lancer au visage que notre chum est un porc frais).

— C'est lui qui voulait aller te chercher. Il aimerait ça te connaître un peu plus. Il est maladroit avec toi, parce qu'il sait que tu l'aimes pas beaucoup.

— En effet. Qu'est-ce que tu veux que je te dise ? Je suis pas capable de faire semblant d'aimer quelqu'un. Je me demande ben comment tu fais, pour endurer un être primitif de la sorte. Peux-tu comprendre deux minutes que je le déteste ?

— Je vais te dire quelque chose, Émilie Mathieu. T'es pareille comme ton père. Bornée, une vraie tête de cochon ! T'as pas à approuver mes choix, fais un effort, tu le vois juste une fois par deux semaines.

Je rajoute sur un ton pas très sympathique :

— J'aime mieux avoir une tête de cochon comme mon père, qu'avoir un porc frais de beau-père !

Pour la première fois de ma vie, j'ai vu ma mère

vraiment fâchée. Je crois que le surnom de porc frais venait de faire son effet.

— Écoute-moi bien, tu peux faire n'importe quelle crise, ça changera rien pour moi. T'as plus cinq ans, il faudrait peut-être que tu sois un peu plus raisonnable. Roger est ici pour de bon, un point c'est tout. Quand tu viens me voir, ça adonne que tu risques de le croiser, lui aussi.

J'ai le goût de lui crier que c'est elle que je viens voir. Pas lui. Mais j'ai les larmes aux yeux et la voix emprisonnée entre deux sanglots. Je ne dis plus rien. Humiliée, je refuse de verser un torrent de larmes devant elle.

Abandonnée, je décide que je vais me venger. C'est assez primaire comme comportement, mais ça évacue le méchant, en plus d'entretenir l'imagination.

En me remettant tranquillement de ce dur échange avec ma mère, j'essaie de me convaincre que Roger cache sûrement quelques qualités. Par contre, il ne faut pas compter sur moi pour embrasser le crapaud, sous prétexte qu'un prince charmant s'y réfugie. J'ai déjà donné.

Après deux heures de réflexion, j'en suis venue à la conclusion que je finirais sûrement par trouver, un jour ou l'autre, un point positif à ce dinosaure. La tâche serait relativement plus facile, si j'apprenais la rupture du couple en question. Je me suis donc concentrée, avec beaucoup plus d'inspiration, sur le supplice que j'aimerais bien lui faire subir.

Avant de me coucher, je me lève une dernière fois, pour aller à la salle de bain. Tout allait bien, jusqu'au moment fatidique où je m'assois sur la toilette. À mon grand dégoût, j'effleure l'eau froide, puisque l'homme des cavernes avait omis de baisser le siège.

Je pousse un cri de mort qui finit par réveiller ma mère, qui accourt à mon secours. C'est à ce moment pathétique de ma vie que la vengeance suprême surgit. J'allais d'abord le suspendre au plafond, par les pieds. Il serait vêtu de toute sa virilité : ses caleçons léopard et son tapis à poils longs. Sur un fond musical classique, je lui arracherais tous les poils du corps, un par un, avec une pince à épiler.

Beau programme de fin de soirée !

— Je vais le tuer, l'imbécile heureux ! Est-ce que c'est trop forçant de baisser le couvercle ? Je vais le tuer ! ai-je hurlé, à bout de nerfs.

— Arrête de crier, je vais lui en parler demain matin. Arrête de dire que tu vas le tuer, j'aime pas ça.

J'ai quand même consenti à me recoucher, sans mettre mes menaces à exécution (dans le fond, je ne suis pas si méchante que ça). De toute façon, soyons réalistes, comment aurais-je pu accrocher le bétail par les pieds et le monter au plafond ? Je n'ai malheureusement pas toujours un cric à portée de la main. Par contre, je pourrais facilement dénicher une musique classique et j'ai une pince à épiler dans mes bagages.

Je me suis endormie en cherchant des scénarios de supplices réalisables sur Roger.

Quelle ne fut pas ma surprise de voir Roger en short boxer et en petit corps (superbe camisole) au déjeuner ! Je crois que ma mère essaie présentement de dompter le mammifère. Sans vouloir lui faire de la peine, elle en aura sûrement pour plusieurs années encore, si elle a l'intention de changer sa mentalité de tyrannosaure.

J'ai tâché d'être de bonne humeur et conciliante vis-à-vis du petit couple hétéroclite, qui est devant moi. L'amour cache plusieurs grands mystères que je ne suis pas à la veille de découvrir, malgré tous mes efforts.

Je me demande bien ce que l'on peut faire quand sa mère vit avec un homme des cavernes ?

Qu'est-ce que l'on fait quand notre amie n'est pas là pour nous écouter ?

Qu'est-ce que l'on fait quand on a l'impression que la terre entière est contre nous ?

Facile. On broie du noir et l'on se morfond à n'en plus finir ! Je me rends donc à l'évidence, il me reste un examen de mathématiques à l'horizon. Pour la première fois de ma vie, je consacre une journée complète à mes études. J'ai définitivement laissé tomber l'apprentissage par voie subliminale. Il faut dire que même si j'ai les yeux dans un livre, je n'ai pas nécessairement la tête au même endroit.

Tout allait relativement bien, jusqu'au moment fatidique du dîner.

Il y a une seule chose que je ne suis pas capable de manger : le foie. Comble de malheur, ce cher Roger avait décidé de se lancer dans une recette de foie de bœuf. Encore une autre tentative ratée de rapprochement de sa part.

« C'est tellement bon le fer, pour vous autres, les femmes ! » avait dit Roger.

Est-ce que je me permets de lui dire moi, que la bière qu'il prend, ce n'est pas très bon pour sa santé ?

Le fer, le fer ! On s'en fout ! Je ne suis pas enceinte à ce que je sache ! Et je présume que ma mère ne l'est pas non plus. Ce serait bien le comble ! Un australopithèque junior comme demi-frère. Dans un cas comme celui-là, je me déclare pro-choix et j'envisagerais l'avortement.

Le foie, c'est un supplice que je laisse aux mamans en période d'attente. Je me suis bien tenue, pour une fois. J'ai dit avec un grand sourire :

— Excuse-moi, Roger, mais je crois que je vais être malade si je mange ça.

Jusqu'à ma pauvre mère, qui n'est pas capable de regarder un morceau de foie sanguinolent. Pour une surprise, ce fut toute une surprise, pour Roger !

Finalement, on a commandé une pizza.

Le reste de la journée s'est plutôt bien passé. Enfin, je veux dire que l'être primitif et moi, n'avons même pas songé un instant à nous entretuer. Je suis tellement raisonnable !

Inutile de dire que j'ai quitté Roger sans larmes et que c'est ma mère qui est venue me reconduire.

Avant de la laisser seule dans sa voiture, je l'ai serrée très fort dans mes bras et je lui ai murmuré dans l'oreille que je m'excusais pour ma conduite, très peu exemplaire. Ces quelques instants m'ont fait oublier la fin de semaine de débile qui se terminait.

Elle n'a rien dit, mais je savais qu'elle comprenait.

C'est ce que j'adore chez ma mère, on se comprend parfois, sans même ouvrir la bouche. Moment rare, mais ô combien sublime !

Je suis sortie de la voiture, le cœur léger. Je ne peux jamais quitter quelqu'un que j'aime beaucoup avec un restant de chicane.

Chapitre 5

Quatre jours avant Noël.

J'ai exactement dix messages de Mimi.

« Bip ! C'est moi, tu peux m'appeler n'importe quand. À bientôt ! »

Tous les messages se ressemblent, mais on sent que l'impatience s'installe sérieusement. Le dernier message est du genre désespéré :

« Bip ! Qu'est-ce que tu fais ? Je ne suis pas un coton ! Rappelle-moi. Bye ! »

J'ai à peine le temps d'ouvrir la bouche :

— Tu sais pas quoi ?

— Non, je ne suis pas encore au courant, mais je sens que ça sera pas trop long que j'vais l'être.

Elle lance, le souffle court :

— Je l'ai fait !

Comme une épaisse bouchée par les deux bouts, je réplique bêtement :

— T'as fait quoi ?

— Ben, tu le sais... voyons...

Comme une idiote, j'enchaîne :

— Mimi, j'ai pas le goût de jouer aux devinettes.

— Depuis hier soir, je suis vraiment une femme.

Je pouffe encore de rire, incapable d'arrêter pendant un moment. Je finis par marmonner :

— Qu'est-ce qui te fait dire ça ?

— J'ai fait l'amour, c't'affaire !

Il y a de ces journées, où l'on n'est pas fière de soi. Et je rajoute, toujours sans réfléchir :

— Qui est l'heureux élu ?

— Ben… mon chum… je pense…

Ai-je bien entendu ? J'essaie de démêler toutes les pensées qui assaillent mon esprit.

— J'aimerais mieux que tu me dises un nom, parce que j'ai de la difficulté à savoir, lequel de tes chums tu parles.

— Avec Paul !

Silence assez long, auquel je mets fin :

— Le joueur de hockey ! Est-ce que ça valait la peine, au moins ?

Silence, qui me paraît une éternité. Michelle ne semble pas très emballée :

— Ben, c'est pas si pire que ça… C'est pas si évident, la première fois. J'étais gênée pis stressée.

— T'avais un condom au moins ?

Ma question reste en suspension dans l'air. Elle finit par bafouiller :

— Pas vraiment...

Je n'en crois tout simplement pas mes oreilles. Comment ma tête de linotte d'amie de fille avait-elle fait une chose pareille ? C'est plus fort que moi, je hurle dans le téléphone :

— Qu'est-ce qui t'a pris ? Tu le sais avec toutes les maladies, le sida... Enceinte, as-tu pensé deux petites minutes que tu pourrais tomber enceinte ? Est-ce que ça t'arrive parfois de te servir de ta tête, autrement que pour la changer de couleur ?

Michelle bredouille entre deux sanglots :

— Mange de la marde Émilie Mathieu ! Tu comprends jamais rien. Au cas où tu le saurais pas, c'est ma meilleure amie que j'ai appelée. Une mère j'en ai déjà une. Pis de toute façon, il est trop tard, c'est fait !

Elle me raccroche au nez. Je pense qu'un coup de masse dans le front ne m'aurait pas plus ébranlée que je ne le suis.

J'ai déjà trois phobies concernant ma future vie sexuelle : attraper une MTS, tomber enceinte par accident et je suis morte de peur à l'idée de contracter le virus du sida. Je dois avouer que jusqu'à maintenant, dans ma courte existence, je n'ai pas eu à faire face à ces phobies-là. Je ne suis quand même pas si niaiseuse que ça avec les gars, mais je n'ai pas encore couché avec aucun de mes copains.

Je ne vais sûrement pas baiser avec quelqu'un que je trouve épais. C'est d'ailleurs le seul genre de gars, le genre épais, qui me court après. C'est très difficile pour l'ego et je vis une perpétuelle remise en question face aux autres, ainsi que face à moi-même.

Suis-je moi-même une épaisse ?

Ou tout simplement une épaisse en période latente ?

En devenir ?

Suis-je au paroxysme de mon « épaissité » ?

Est-ce seulement les épais qui m'apprécient à ma juste valeur ?

Est-ce que tous les gars de mon âge possèdent un gène communément appelé, le gène épais ?

Est-ce que ce gène s'autodétruit après une activité intensive de cinq ans, en l'occurrence, la période de l'adolescence ?

Malheureusement, les réponses que je déniche ne sont jamais les mêmes, d'une journée à l'autre.

L'incertitude est ma destinée.

Je nage en plein néant.

Chaos, sort de ce corps !

Qui suis-je ?

Où vais-je ?

Que fais-je ?

Pourquoi me poserais-je autant de questions ?

Deviens-je folle, à force de réflexion ?

Je me morfonds dix minutes en espérant que Mimi me rappelle. J'enfile mon manteau et accours chez elle. Comme d'habitude, mon franc-parler a une fois de plus fait son œuvre, aussi discret qu'un boulet de canon dans un mur.

Michelle est dans un état pitoyable : ses yeux sont rouges et boursouflés, son maquillage me rappelle vaguement celui d'un mauvais clown. Ses cheveux, habituellement si bien placés dans leur désordre, ont visiblement passé un mauvais quart d'heure. Tout comme sa chambre, d'ailleurs. Même son restant de mèche verte semble plus terne que d'habitude.

Je suis devant elle, impuissante, un nœud dans la gorge et le cœur chaviré de voir le désarroi qui l'habite. Je ne sais pas quoi dire, je la prends donc dans mes bras. Je la berce comme ça, jusqu'à ce que la tempête se calme en dedans comme en dehors. Le vent a fini par tomber tranquillement et Michelle a suivi, telle une feuille à l'automne. Elle s'est assoupie, engourdie par la chaleur que je lui procurais et, aussi, épuisée d'avoir autant pleuré.

J'ai pleuré avec elle, doucement, tout simplement, parce que je ne supporte pas de voir quelqu'un triste. Je n'y peux rien, j'ai toujours un surplus de larmes dans mes yeux qui, à la moindre occasion, en profitent pour couler à flot. La plupart du temps, je trouve ça gênant, parce que je pleure souvent pour presque rien. Mais avec Mimi, ça ne me dérange pas, on est toutes les deux des petites natures, et l'on ne se gêne pas pour se laisser aller !

Je la couche dans son lit et la borde, comme une mère le ferait. Elle dort d'un sommeil profond et sa respiration rythmée est rassurante. Je voudrais arrêter le temps et effacer mes paroles blessantes.

Je m'en veux tellement. De quel droit au juste, je me permets de lui faire la morale ?

Avant de partir, je lui écris un mot que j'ai pris soin de lui coller, avec du ruban adhésif, sur le front, pour qu'elle le voie bien. C'est très joli, visuellement.

Je suis désolée pour la peine que je t'ai faite. Quoi qu'il arrive, je serai toujours là pour t'écouter.

Excuse-moi.

Milie. xxx

Je croise sa mère en sortant. Je fuis, je n'ai pas le goût de discuter.

Chapitre 6

Trois jours avant Noël. Ho ! Ho ! Ho !

C'est en me jetant en bas de mon lit, pour me réveiller, que j'ai constaté l'existence d'un mal de tête épouvantable. J'avais peu dormi, tiraillée entre le sommeil et les remords.

Le résultat de cette nuit d'insomnie est assez dur pour mon moral. J'ai une tête affreuse. En prime, je vais avoir la chance de me balader avec un magnifique bouton, d'un rouge éclatant, sur le nez. Pour couronner le tout, je me sens grosse comme un hippopotame ; un phénomène naturel me rappellera bientôt que je suis bel et bien une femme. Ô douce joie !

La seule chose que je souhaite, c'est de ne pas tomber sur Bernard Crevier à la polyvalente. Mimi n'est pas en grande forme. Toutefois, elle n'a pas perdu l'usage de la parole, ce qui est tout de même bon signe.

— Merci pour ton mot. Penses-tu que c'est possible d'aimer deux gars en même temps ?
— J'imagine que oui, c'est ça qui t'arrive, en tout cas. Mais il y a quelque chose que je comprends pas. Pourquoi t'as baisé avec lui le premier soir, si vite, sur un coup de tête ?
— J'ai pas baisé avec lui. On a fait l'amour, c'est pas pareil.
— Je vois pas la différence !
— Ben, il y en a une grosse. On fait l'amour quand il y a de l'amour, tandis que baiser, c'est juste du cul.

Elle s'arrête quelques secondes.

— Je le sais pas, je me suis sentie bien tout de suite avec Paul. On dirait que Charles est plutôt comme un ami pour moi. Pas comme un chum.

Je la voyais déjà en train d'expliquer à Charles qu'elle préfère l'avoir comme ami, parce que l'amitié, c'est plus solide que l'amour et patati et patata... J'ai entendu ça souvent, même que j'ai eu la chance de le dire moi-même. C'est une façon de se débarrasser de quelqu'un, sans lui faire trop mal. Enfin, c'est ce que la plupart des gens croient.

Je suis persuadée que l'amitié est presque impossible, entre un gars et une fille. En tout cas, moi je n'y crois pas. Il y en a toujours un qui finit par s'attacher un peu plus, sans vraiment s'en rendre compte. Ce qui détruit l'amitié, à tout coup. La nature est ainsi faite. La seule différence, c'est que, contrairement aux animaux, notre cerveau sélectionne nos partenaires. Enfin, certaines personnes ne s'en servent pas beaucoup, mais je tairai les noms ici pour ne pas commencer une autre chicane avec ma mère. Oups !

Je poursuis mon interrogatoire :

— Comment peux-tu aimer autant quelqu'un que tu connais depuis à peine deux jours ?

— Quatre jours, ça fait quatre jours.

— N'empêche que l'amour en quatre jours, c'est un peu exagéré.

Mimi ajoute sur un ton sec, ce qui veut dire que la discussion est close :

— Tu peux pas comprendre de toute façon, t'as jamais été en amour TOI ! Le coup de foudre, ça te dit rien.

Pour une fois, je me la ferme, parce que c'est vrai. Le coup de foudre est une notion inconnue par ma personne. Nous continuons notre chemin en silence, marchant lentement, puisque rien ne presse. Nous savons trop bien ce qui nous attend à l'école, le dernier examen, mais non le moindre : mathématiques.

En nous pointant dans la cafétéria, on tombe face-à-face avec le plus grand sourire, rempli de dents parfaites, que je n'ai jamais vu de ma vie. Nul autre que Bernard Crevier, en chair et en os.

Si j'avais un sac de papier brun sous la main, je me le mettrais volontiers sur la tête. Peu subtil, mais très efficace, pour passer inaperçue.

Je me retrouve devant lui, incapable de dire une phrase intelligente, la bouche entrouverte et les bras, le long de mes jambes. J'ai l'air d'une plante verte qui manque d'eau. Quelle photo inoubliable ! Le genre qu'on brûle ou bien qu'on égare avec joie.

— Salut, Émilie !

Dieu merci, je ferme la bouche juste à temps, un petit filet de bave commençait à descendre sur le bord de ma lèvre. Autre moment inoubliable, d'une grande beauté. Je lance avec défi :

— Salut Bernard Crevier !

C'est une déformation professionnelle, j'ai tellement l'habitude de l'appeler par son nom au grand complet que je passe, de toute évidence, pour une triple gourde. Mimi me dévisage, un point d'interrogation dans le front.

Il me faudrait une liste de questions pour me dépêtrer quand je suis dans une situation semblable. Je n'ai rien à lui dire, je ne le connais même pas. Je me sens comme une cruche vide. Le verbe coincé, entre deux palpitations.

La seule chose que nous avons en commun,

donc le seul sujet de conversation qui me vient à l'esprit, est cette soirée mémorable où j'ai presque vomi sur lui. Sujet sans intérêt, vaut mieux me taire.

Heureusement, Bernard semble avoir moins de difficulté à s'exprimer que moi. C'est parce qu'il a eu une quantité impressionnante de blondes et que moi, j'ai peut-être déjà eu, pendant un quart de semaine, un chum et qu'à chaque fois, j'ai réussi à avoir l'air ridicule. Je dirais même qu'il peut tenir une conversation assez intelligente, avec le corps inanimé qui me représente et lui bloque sommairement l'horizon.

— Comment ça va ?

— Pas pire !

— T'as l'air nerveuse !

— C'est... c'est mon examen qui me stresse un peu.

La conversation s'est poursuivie, aussi passionnante que ce court extrait. Remplie de bégaiements, de bouffées de chaleur et de malaises cardiaques.

J'ai tout de même survécu !

Je suis arrivée en retard à mon examen de

maths, mais j'avais, dans mon sac à dos, le numéro de téléphone de Bernard Crevier. Je l'ai regardé trois ou quatre fois. Je le savais déjà par cœur. C'est fou ce que ma mémoire peut parfois être efficace. Dommage que ce ne soit pas toujours pour les choses les plus importantes, comme ces foutues formules d'algèbre.

Je n'ai aucun souvenir de l'examen. Je m'en fous éperdument, puisque je suis peut-être à la veille d'avoir comme chum : Bernard Crevier. Alors, la Terre peut bien arrêter de tourner trente secondes !

Un gars, pas trop épais, m'a donné son numéro de téléphone. Tout ce que je souhaite, c'est que mon intuition féminine ne m'induise pas en erreur. Difficile à croire ; moi, sortant avec le plus beau gars de la polyvalente !

C'est à peine croyable ! De la fiction ! Un miracle !

Je ne tiens plus en place et je donnerais ma vie pour savoir ce que l'avenir me réserve. J'irais même jusqu'à manger trois ou quatre eggs rolls avec Mimi.

Il ne faudrait tout de même pas trop fabuler sur le dénouement de cette histoire. Après tout, je n'ai que son numéro de téléphone. Du calme ! Ce n'est pas une demande en mariage, quoique je trouve que ça augure relativement bien. Analysons la situation froidement.

Première avenue possible : il est fou de ma personne. La question qui se pose alors, est : où est le problème ?

Deuxième avenue : il se cherche une amie de fille à qui il pourra se confier parce qu'il me trouve sympathique et cute, dans le sens de jeune et innocente, surtout quand je suis en état d'ébriété. La deuxième question qui se pose alors est la suivante : est-ce que j'ai vraiment besoin d'un nouvel ami ?

Sans hésiter, j'opte pour le premier choix. J'ai bien le droit de rêver !

Le bonheur vient de me sauter dessus. J'aime bien. Le retour à la maison se fait en silence. J'effleure le trottoir, alors que Michelle est bien ancrée au sol. Elle se sent déchirée entre deux choix et s'entête à crier tout haut qu'elle a le droit d'aimer deux personnes à la fois.

Quant à moi, elle a bien raison, sauf qu'en général, c'est toujours mieux quand les deux personnes ne sont pas au courant de l'existence de l'autre. Sinon, elles vont sûrement disparaître toutes les deux, en même temps. Ce qui est doublement triste et désastreux.

La soirée s'annonce longue. Mes yeux vont du

papier, avec le numéro de Bernard, au téléphone, pour ensuite sombrer dans le néant.

Est-ce que c'est ça le coup de foudre ? Réfléchir pendant une heure, les deux yeux dans le même trou, et se demander si l'on doit composer ou non le numéro.

Je répète, une dizaine de fois, les mêmes gestes : je décroche l'appareil, compose quelques chiffres et raccroche, comme une demeurée. Mon cœur bat tellement vite que je ne serai jamais capable de prononcer un seul mot.

Qu'est-ce que je vais lui dire ?

Lui parler de la pluie et du beau temps ? Pas très original, ni passionnant.

M'informer sur les résultats de ses examens ? Soyons réalistes, est-ce que cela m'intéresse vraiment ?

Peut-être devrais-je lui dire tout simplement que son petit sourire me rend folle ? Ce n'est vraiment pas le genre de chose qu'on avoue au téléphone. Un peu de retenue, tout de même !

En plus, j'ai ce précieux conseil de Mimi qui me revient : « Il faut pas que tu l'appelles ce soir. Attends au moins un jour ou deux ! »

Pourquoi faut-il toujours attendre au moins une journée, pour rappeler un gars qui nous a donné son numéro ?

D'après Michelle, il paraît qu'on a l'air plus indépendante. Qu'ainsi, on se fait attendre et que c'est mieux. J'avais le goût de changer les règles du jeu, parce que ça fait un an et demi que j'attends. Il faut dire que c'est bien ma faute, parce que je n'ai pas beaucoup d'initiative. Je pourrais bien attendre une journée de plus, puisque voilà déjà cinq cent quarante-huit jours, que j'attends !

Je me dirige vers la cuisine et bois, d'un trait, un grand verre d'eau. Rassasiée et remplie de courage momentanément, je compose le numéro.

Une sonnerie. Deux sonneries. Trois sonneries.

Je suis soulagée de ne pas parler à Bernard Crevier. Fatalement, je vais remettre à plus tard ce que j'aurais pu faire tout de suite. J'allais raccrocher, presque heureuse, quand il a subitement répondu :

— Oui, allô !

J'en reste bouche bée, les yeux quasiment sortis de la tête. Je raccroche rapidement. À cet instant précis, je voudrais être une citrouille ou bien une potiche, enfin n'importe quoi, sauf Émilie Mathieu ! Je n'ai pas aussitôt repris mes esprits et constaté que je n'ai rien d'une citrouille, si ce n'est que mon cerveau ressemble à la bouillie qu'il y a à l'intérieur, que je plonge dans un bain moussant pour oublier ma gaffe.

Le seul point positif de cet appel, c'est que je suis la seule à savoir la bévue que je viens de faire. Je me réfugie donc dans mon bain, enveloppée par cette odeur de lavande. Tout allait bien, jusqu'à ce que le téléphone, mon ennemi juré, sonne.

Je ne vais sûrement pas sortir en vitesse et répondre, nue comme un ver. Je décide de laisser le répondeur faire son travail. Je suis quand même tout ouïe, je ne manquerais pas un téléphone pour tout l'or au monde.

« Bip ! Salut Émilie, c'est Bernard. J'le sais que t'as appelé tout à l'heure. J'ai un téléphone qui indique le numéro des personnes. Tu peux me rejoindre au même numéro pis tu devrais parler cette fois-là. Bye, on se voit demain au party. »

Quelle horreur ! Je hais profondément la technologie ! À bas toutes les découvertes qui révolutionnent mon petit monde ! Nous sommes rendus à un point où l'on ne peut même plus se tromper de numéro ou bien faire un appel obscène sans se faire démasquer.

J'ai le goût de rester dans mon bain jusqu'au moment fatidique où je serai complètement ratatinée, comme un vulgaire raisin oublié dans un tiroir du réfrigérateur. Disparaître pour ne plus revoir le sourire tellement joli et plein de dents de Bernard Crevier.

Macérant depuis un certain temps, je me rends à l'évidence : je ne pourrai pas finir mes jours ici. Je vais devoir affronter de nouveau la vie et surtout, mon beau Bernard. Je quitte, non sans regret mon bain pour quelque chose d'encore mieux : mon lit tout chaud et douillet.

Chapitre 7

Deux jours avant Noël.

Je n'ai pas osé raconter à Michelle, ma mésaventure du téléphone. Même si l'on s'est juré de tout se dire, je ne tiens pas plus que ça à me faire humilier à nouveau. Une fois, c'est amplement !

Ce matin même, j'ai croisé Bernard Crevier à l'épicerie et j'ai fait semblant de ne pas le voir. Pourtant, mon cœur battait tellement fort que je croyais qu'il voulait s'échapper de ma poitrine. Je ne pourrais pas dire si c'est la honte ou bien l'amour qui le faisait battre ainsi.

Le salaud est passé à côté de moi sans me voir ! Bon, je sais que je me contredis, mais finalement, j'aurais mieux aimé qu'il me voie. Il a plutôt aperçu Maryse Casavant : la coqueluche du village, celle qui a les jambes aussi longues que moi, au grand complet, et qui ne se gêne surtout pas pour les mettre en évidence. Caissière à temps partiel et fausse blonde à temps plein, cette fille est le cauchemar du village, enfin pour le sexe féminin !

Et là, sous mes yeux exorbités par le dégoût, Bernard Crevier l'a embrassée sur la joue et il lui a souhaité un « Joyeux Noël ».

On sait bien, toutes les raisons sont bonnes pour sauter sur la première fille venue !

Bernard Crevier, tu me déçois tellement !

Je n'aurais jamais pensé que tu étais aussi superficiel !

J'ai disparu derrière une montagne de boîtes de conserve en vente, tout en essayant de recracher la gomme que je venais d'avaler tout rond. Il en manqua bien peu pour que je ne meure étouffée, derrière la vente, à cause de lui. J'ai tendance à dramatiser un petit peu. Un bec sur la joue, ce n'est pas la fin du monde, c'est la manière qui m'a surprise. Il y avait une certaine complicité qui se dégageait d'eux.

Quel salaud ! Maintenant, en plus de collectionner les épais, j'ai réussi à dénicher un salaud !

Le pire, c'est que je suis prête à pardonner le petit écart de conduite de cet Apollon de Bernard Crevier. Ah l'amour ! Pourvu que je ne devienne pas aussi gaga que Michelle.

J'ai tellement hâte à ce soir ! Du moins, j'essaie

d'avoir hâte, malgré le coup de cochon de mon futur ex-copain. Peut-être.

Le plus gros party de l'année ! C'est le moment propice pour mettre mon plan de contre-attaque à exécution, appelé spécialement pour l'occasion : à bas les fausses blondes !

Je compte bien lâcher mon charme fou que je retiens depuis plusieurs années, en cette belle soirée qui devrait passer à l'histoire.

Bernard Crevier, ton règne de célibataire se termine aujourd'hui même !

Tonight is the night !

J'ai passé beaucoup de temps devant les miroirs de la salle de bain et de ma chambre. Moi qui n'attache pas tellement d'importance à mon apparence. Enfin, je veux dire que je ne passe pas des heures à m'habiller en temps normal, puisque je porte exclusivement des jeans.

J'essaie ma garde-robe au grand complet, avec toutes les combinaisons envisageables, et ce, à plusieurs reprises. Enfin, je n'ai rien de potable à me mettre sur le dos.

Je ne possède pas de vêtements qui pourraient mettre mes jambes en évidence, comme la Casavant. D'ailleurs, ce n'est pas avec mes jambes que je veux séduire. J'avoue que de jolies jambes peuvent être très agréables au regard, mais ce n'est rien à côté de la beauté intérieure et de l'intelligence. À bien y réfléchir, avec les conversations que je suis capable de tenir avec un gars, je devrais peut-être commencer sérieusement à me muscler la cuisse.

À bout de nerfs, j'opte pour un jean noir chic et un t-shirt rouge vin que je n'ai encore jamais porté : un cadeau de ma mère et de son homo erectus.

— Où tu t'en vas ? me demande mon père.

— Tu trouves pas ça beau ? Je suis pas habituée de porter des choses trop moulantes.

Je suis déjà rendue dans ma chambre à la recherche d'une chemise, plutôt que ce t-shirt plongeant, qui d'ailleurs ne plonge pas dans grand-chose.

— Non, Émilie, c'est beau, reste comme ça.

Je reviens lentement dans le salon :

— T'es sûr ?

— Oui, c'est ben beau.

Je suis immobile devant mon père. Il a les yeux dans un océan. Je vois bien qu'il tente d'arrêter la marée qui monte tranquillement, mais je sais qu'on ne peut rien faire contre la marée. Je m'assois tout près de lui, émue.

— Voyons Pa, qu'est-ce que t'as ?

— Le temps passe tellement vite, j'ai plus de petite fille.

Il me serre dans ses bras, comme quelqu'un qui

sent que quelque chose lui échappe. Une de mes larmes roule sur son cou.

Je devine que Marie-Hélène lui manque. Je voudrais lui dire qu'il devrait l'oublier, qu'elle ne reviendra probablement jamais, qu'il n'aura plus besoin de ses pantalons, deux points plus grands.

J'aimerais lui dire que je vais peut-être sortir avec un gars, que c'est ce soir que je tente le tout pour le tout. Mais la phrase reste coincée. Comme d'habitude, je garde tout pour moi. Gonflée de mots, je sors.

Pour m'aider à affronter le pire, je prends trois bières dans le réfrigérateur avant de partir. Deux pour moi et une pour Michelle.

Je dirais que la bière me fait le même effet qu'un bon bain de mousse à la lavande. Mes jambes deviennent molles un petit peu et mon cerveau, imbibé d'alcool, ne réfléchit plus beaucoup. Je discute avec facilité et je ris souvent pour rien.

— Ça me tente plus vraiment ! me lance Michelle.

— Si tu penses que tu viens de boire une bière pour retourner te coucher tout de suite, oublie ça !

— De toute façon, il n'y a pas grand-chose que j'ai le goût de faire. Je suis sûre que Paul et Charles vont être là. Ça m'intéresse pas de les voir.

Je lance comme une imbécile, qui vient de boire

deux bières en quinze minutes, et sans vraiment réfléchir :

— C'est vrai que c'est ennuyeux ! J'imagine que tu ne sais plus lequel choisir !

Je viens aussi de constater que l'alcool amplifie les pires défauts. Ce qui, dans mon cas, n'est pas particulièrement intéressant pour les gens qui subissent mes commentaires souvent corrosifs.

Ce n'est pas parce que Mimi ne veut pas fêter, que je vais m'emmerder moi aussi.

Avec l'aide de mes bières, je fonce au party, en traînant Mimi tant bien que mal. C'est avec un taux d'alcool non négligeable que j'affronte Bernard.

Évidemment, rôde autour de lui, tel un vautour : la Casavant. Ne me laissant pas abattre par cette pétasse, je danse comme une déchaînée, envoûtée par la musique, la bière et Bernard. Je perds Michelle de vue.

Alors que la musique se fait plus tranquille, Bernard m'invite à danser. Ce slow est le plus collé de toute ma vie. Mon nez est chatouillé par ses cheveux qui sentent trop bon. Mes yeux à demi ouverts, rappelant vaguement ceux du merlan frit, ne voient plus que lui. Son souffle chaud, brise légère, effleure mon cou. Je suis dans un état végétatif et j'ai une envie folle de lui mordiller l'oreille. Je sens son corps près du mien, vraiment près, tellement près en fait, que j'irais même jusqu'à dire que Bernard Crevier a une érection. Il faut croire que je ne suis pas si ennuyante que ça !

Pendant cette petite parenthèse de bien-être, je m'abandonne complètement au bonheur. Aucune question n'ose effleurer mon esprit. J'aurai connu, une fois dans ma vie, le nirvana absolu de mon cerveau. La chanson se termine abruptement, mes lèvres effleurent son cou, on s'éloigne maladroitement. La musique techno reprend de plus belle.

Pleine d'énergie, je m'élance sur la piste de danse avec enthousiasme et assurance. C'est dans ce même élan, que mon soulier se prend dans le tapis et que je m'étends, de tout mon long. Je me relève dans un temps record et constate avec soulagement que Bernard ne m'a pas vue m'affaler comme une crêpe. C'est le moment précis où je décide de m'éclipser, juste avant la fin du party, comme une idiote. Persuadée que j'ai fait une vraie folle de moi, et que Bernard n'en veut qu'à mon corps maladroit. Il me semble bien que moi aussi je n'en voulais qu'au sien, heureuse de savoir que je suis une personne normale et que j'ai une vie sexuelle qui sommeille en moi.

Je l'ai tout de même embrassé sur la bouche, sans la langue, même si je me mourais littéralement d'explorer sa douce haleine. Je respecte ainsi mes valeurs en m'interdisant de frencher n'importe qui, comme certains que je connais. Disons que cette fois-ci, j'aurais bien aimé déchirer cette image de la fille respectable, parce que, selon moi, les gars sont aussi faciles que les filles. Ceci est une autre cause qui me tient à cœur.

Mais il y a autre chose qui me tracasse, je sens que je n'ai plus le contrôle. Je me retrouve en terrain inconnu et je ne sais pas ce qui va m'arriver ou plutôt, je ne veux pas le savoir. La vérité, comme une claque en plein visage, me surprend. L'apparition d'une marque rouge qui s'incruste partout, telle une bourrasque de doute. L'évidence m'assaille.

Je suis en train de tomber en amour ! Voilà le malheur qui s'élance sur moi !

L'horreur ! J'ai peur. Peur de me faire du mal.

Peut-être que Bernard ne veut qu'avoir du plaisir avec moi ?

Peut-être qu'il pense à la Casavant, pendant que je suis dans ses bras ?

Peut-être que je suis une fille parmi tant d'autres ?

Peut-être que je lui arracherais la tête s'il répondait oui à une de ces questions ?

Une fois de plus, je fuis, parce que je ne veux pas me faire d'illusions. C'est bien beau l'amour, mais il ne faut jamais arrêter de réfléchir. Surtout, garder les deux pieds sur terre.

Si Michelle était là, elle me dirait sûrement d'oublier ma tête et d'écouter mon cœur, pour une fois. C'est plus facile à dire, qu'à faire ! De toute façon, on voit où ça nous mène, quand on pense juste avec son cœur et son corps. On a droit à un gros chagrin.

Comment moi, Émilie Mathieu, pouvais-je me laisser prendre au jeu de l'amour ?

Bernard Crevier a réussi à atteindre mon cœur blindé que je cachais depuis si longtemps. En une seule soirée, mon armure a fondu, laissant ma vulnérabilité au grand jour, à la vue et au jugement de tous.

La fuite et l'oubli !

Voilà ce qui me reste. J'ai deux semaines pour oublier la plus belle soirée de toute ma vie. Reconstruire ma carapace. Me servir de toutes mes énergies pour cela. Cette solution ultime martèle ma boîte crânienne, sans cesse. De toute évidence, je n'aurai plus jamais de répit. Je sais très bien que je me raconte des histoires. Je ne réussis même pas à me croire. Le mal est déjà fait. L'amour m'a attaquée par derrière comme un hypocrite. Je suis lâche et je n'ai aucunement le goût de m'esquiver. Ma tête, cette fois-ci, renonce à prendre le dessus sur mon cœur. La partie est perdue d'avance. À quoi bon combattre ?

Ce soir, je me suis permis de fuir, puisque j'en ai encore la force. Il faut que je digère tout cela, que je me fasse à l'idée. Me rendre compte de mes faiblesses, les assumer et accepter de perdre le contrôle, une fois de temps en temps. Le moins souvent possible.

L'ivresse disparaît tranquillement, au fur et à mesure que le froid m'enveloppe. Malgré le silence de la nuit, j'entends toujours le bourdonnement de la musique dans mes oreilles.

L'odeur de Bernard imprègne mes vêtements.

Je me couche, tout habillée. Son odeur envoûtante me berce et m'engourdit, toute la nuit.

Chapitre 8

Quelques heures plus tard. La veille de Noël.

Toute bonne chose a une fin. Je dois m'arracher à mon lit, m'habiller et faire ma valise. Destination de rêve : séjour chez ma mère et son brontosaure. J'ai le goût de faire une fugue.

Avec ma superbe soirée, j'avais oublié Noël et cette magnifique période d'amour (à *go*, on oublie qu'on se hait pour la journée), d'échange (de cadeaux qu'on a eus, le 25) et de partage (de la dinde, je m'en passerais bien).

Dans un élan de bonté, j'avais décidé d'offrir un cadeau à mon meilleur. Le plus difficile étant d'admettre que l'homme fait, en quelque sorte, partie de la famille. Je lui ai donc acheté, sans aucune arrière-pensée, un livre sur les hommes et leurs émotions. Je suis trop bonne parfois !

Je n'ai pas aussitôt introduit le gros orteil dans la maison que j'ai droit à la fatidique question :

— Tu dois avoir fini l'école là, ma belle Milie ?

De quel droit peut-il m'appeler par mon petit nom ?

J'allais lui répondre bêtement que l'école est toujours fermée la veille de Noël, mais je lui dis, avec mon plus beau sourire :

— Oui, depuis deux jours.

— Vas-tu t'ennuyer de ton petit chum ?

C'est ce que je déteste chez lui, il me parle comme si j'avais six ans.

Je réalise que plus on vieillit, plus Noël est insupportable. Aujourd'hui, je me sens comme une personne de soixante-douze ans, plutôt bien conservée quand même. Je traîne ma carcasse d'un sofa à l'autre, en attendant minuit, pour développer mes cadeaux. Décidément, je m'ennuie beaucoup de l'époque où je croyais encore au père Noël. Sans oublier que j'ignorais aussi, l'existence des bobettes à motifs léopard. Ce fut le réveillon le plus long de toute ma vie. À minuit quarante, tout le monde était couché. Les cadeaux étaient déballés et les petits sandwichs, presque digérés.

J'ai eu un nouveau t-shirt trop petit, il semblerait que c'est la mode. En plus d'une horrible robe et d'un livre sur les fossiles. Je trouve que ma mère et Roger voient un peu trop à mon enveloppe extérieure.

Impossible de dormir. Je suis en pleine crise obsessionnelle. Mes neurones n'en ont que pour Bernard Crevier. À tout moment, j'ai des flash-backs de ma soirée. Je me souviens de chaque seconde, de nos regards complices, de nos gestes synchronisés au quart de tour et de nos lèvres fébriles qui s'effleurent dans le noir.

Je repasse les scènes que je préfère, au ralenti, j'en invente, je soupire et frissonne. Mon cerveau est dans le formol et le reste de mon corps, dans le coma.

Je m'imagine, dévalant le corridor de la polyvalente avec Bernard, pendant que la plupart des filles me dévisagent avec jalousie. Je me vois déjà au bal des finissants, accompagnant l'homme, triomphante, gambadant entre les tables. Souriant à tous et chacun, comme une duchesse des temps modernes.

J'ai tout de même des petits moments de lucidité, pendant lesquels je suis toujours égale à moi-même. Je réussis à reprendre sur ma personne et je croule sous les questions. Le peu de cervelle fonctionnelle qu'il me reste ne me permet pas d'y répondre intelligemment.

Est-ce que je serais gênée de le présenter à mon père ? Non !

À ma mère ? Non plus. À côté de l'homo sapiens, Bernard est un dieu grec !

Est-ce qu'il me trouve belle ? Extérieurement parlant, bien entendu !

En veut-il seulement à mon corps ? J'espère que non, parce qu'il risque d'être déçu !

Embrasse-t-il bien ? Je l'espère tellement !

Est-ce que j'embrasse bien, moi ? J'imagine que oui.

Suis-je une personne endormante ?

Est-ce que j'ai un avenir intéressant ?

Qu'est-ce que je vais faire de ma vie ?

Suis-je angoissée, sujette aux dépressions nerveuses ?

Ai-je besoin d'un psychologue ?

Suffit, avant de devenir complètement folle et de me lancer sur les murs ! D'ailleurs, une douleur lancinante vient d'élire domicile entre mes deux oreilles. Pourvu que j'arrive à trouver le sommeil.

Je vous épargne la narration du vingt-cinq décembre, qui n'a rien de particulièrement intéressant. Journée de festivités sans aucun mélodrame. Le lendemain matin, à la première heure, nous sommes tous allés au centre d'achats pour échanger nos magnifiques cadeaux. J'ai échangé ma robe. L'australopithèque ne voulait pas de mon livre (sait-il lire ?). Ma mère a dû retourner les magnifiques dessous rouges que Roger lui avait offerts.

Il avait réussi à prendre le soutien-gorge trop grand. Il ne remonte vraiment pas dans mon estime. Je l'imagine en train d'expliquer à la vendeuse que le sein de ma mère lui tient très bien dans la main.

On est revenus, chacun avec le sourire fendu jusqu'aux oreilles, satisfaits de nos échanges respectifs. J'avais une nouvelle paire de jeans et une chemise ; ma mère, un kit de peinture à l'huile pour débutants ; Roger, un livre sur la mécanique automobile.

On ne pourra pas dire que je n'ai rien fait pour l'évolution du mufle de Marie-Hélène. Dans un élan de bonté, j'avais décidé de l'aider dans sa croissance personnelle. Au lieu, monsieur préfère apprendre à démonter un moteur ou bien à changer la courroie de l'alternateur. Allons-y pour la mécanique automobile, celle de l'âme viendra plus tard.

Je ne veux pas rester une journée de plus ici. La vue de cette dinde de trois cents livres me rend anorexique. Je supplie ma mère de venir me reconduire, je suis même prête à faire le voyage, en tête-à-tête, avec Roger. Décidément, je ferais vraiment n'importe quoi pour revoir mon beau Bernard !

Malheureusement, mon vœu fut exaucé et je me retrouve assise dans la bagnole avec le varan. Comme nos sujets de conversation sont déjà épuisés, depuis deux jours au moins, il n'y a que le bruit du silencieux.

Dans un élan de bonté incroyable, j'embrasse Roger sur les joues. Ce n'est pas tous les jours Noël.

Chapitre 9

Quelques minutes plus tard. Première journée de congé du père Noël.

— Salut Mimi ! Comment ça va ?

— Bof !

— As-tu passé un beau Noël ?

— Bof ! A-t-elle répété.

— Moi, c'était d'un ennui mortel ! J'ai tout fait pour revenir. Veux-tu faire quelque chose ?

— Ouais...

Je me suis donc invitée chez elle, avec la ferme intention de lui changer les idées. Elle a eu l'air presque contente :

— Oui... viens, on parlera.

Il fallait vraiment que quelque chose n'aille pas pour qu'elle reste dans un mutisme aussi désarmant.

Je suis entrée dans sa chambre, si on peut encore l'appeler ainsi. J'ai contourné à peu près tout le contenu de ses tiroirs, qui se trouvait par terre. Il se cachait sûrement une préparation de party derrière ce bordel indescriptible.

Nous avons parlé de la pluie et du beau temps, comme deux personnes qui ne se sont pas vues depuis quelques jours. Rien de plus.

Mimi avait passé le Noël le moins excitant de toute sa vie. Un petit réveillon, quelques cadeaux, un peu de vin et un gros dodo. Paul et Charles n'avaient donné aucun signe de vie. Je crois que Paul n'en voulait qu'à son corps : une vulgaire histoire d'un soir.

Pour l'encourager un petit peu, je lui dis :

— Deux gars de perdus, mais bientôt une vingtaine de retrouvés.

— À la grandeur du village, en plein hiver, où penses-tu que je vais les trouver ?

Je ne rajoute rien, parce que je suis sûrement tout près de dire une bêtise.

La conversation étant plutôt silencieuse, je décide de m'en aller.

Je reviens chez nous et je mange encore de la dinde. Je songe sérieusement à me convertir à la bouffe végétarienne. Mon père a conservé pour moi, les messages de Bernard. Je les écoute pour la dixième fois.

Je voudrais l'appeler tout de suite, pour lui dire de me rejoindre chez moi. J'hésite encore, car j'ai le cœur à l'envers, les mains moites et le cerveau en effervescence.

Est-ce que c'est ça, tomber en amour ? Avoir mal au cœur, juste en pensant à appeler un gars ?

Il faut dire que j'ai toujours été une spécialiste du téléphone. Je suis capable de tenir une conversation interminable, alors que je viens à peine de quitter mon interlocuteur. Voilà maintenant, que je regarde le téléphone comme un étranger qui serait atteint du scorbut.

C'est absurde, perdre tous ses moyens devant un gars. Si sûre de moi en temps normal, disant ma façon de penser à qui veut l'entendre et me battant, verbalement, pour mes opinions, voilà que je reste bouche bée devant le plus beau gars de la polyvalente.

Je décide de prendre un bain de mousse. J'en profite pour fabuler longuement sur notre premier baiser. Il sera sûrement fougueux. Nous nous soutiendrons mutuellement, pour ne pas nous effondrer comme des marionnettes sans vie.

Après mon bain, je vais sauter sur le téléphone et composer le numéro. Je vais tâcher aussi, d'éviter toutes ces questions insignifiantes :

Qu'est-ce qu'il va penser ? De toute façon, il avait bien laissé trois messages sur mon répondeur, je lui rends tout simplement ses appels.

S'il m'invite chez lui, qu'est-ce que je fais ? Il arrivera bien ce qu'il arrivera. Je suis tannée de me poser des questions.

Est-ce que j'ai vraiment le goût de le voir ? Sans aucun doute.

Je me trouve tellement ridicule ! Une fois de plus, j'ai angoissé pour rien et la première chose que j'ai su, c'est qu'il m'attendait chez lui.

Vais-je déjà rencontrer ma nouvelle belle-famille ? Pas de doute, c'est sûrement du sérieux.

Je n'ai pas cherché de midi à quatorze heures ce que j'allais mettre. J'ai tout simplement enfilé un jean, un t-shirt et un chandail de laine. J'ai tout de même porté une attention particulière à mes sous-vêtements. J'ai évité ceux un peu défraîchis, même s'ils sont très confortables, en temps normal.

Je me suis laissée transporter par le vent, comme un vulgaire flocon de neige. Je me sens bien, malgré le froid qui traverse mon manteau. Dans la rue enneigée, mes pas résonnent partout dans le village. Une symphonie magnifique : je devine ce qu'est le bonheur.

Je n'ai jamais eu autant de difficulté à appuyer sur une sonnette. Je ne sais pas si c'est parce que j'ai les mains gelées ou bien tout simplement le fait de savoir, que Bernard Crevier est de l'autre côté de la porte, à m'attendre.

Ce rendez-vous m'énerve terriblement. J'ai l'impression que mon espérance de vie diminue de deux ans, chaque fois que je l'appelle ou le vois. À ce rythme-là, si je me rends à cinquante ans, ce sera un exploit !

Bernard Crevier est vraiment le garçon le plus charmant que j'ai eu la chance de rencontrer. Il embrasse très bien et il a les mains plutôt baladeuses. Mais tout de même, respectueuses. Comme je ne suis pas égoïste de nature, j'ai exploré ma nouvelle conquête, allègrement. J'ai enfin pu lui mordiller les oreilles à ma guise. Je dois me rendre à l'évidence, je crois que c'est une obsession.

La période « j'apprends à te connaître » n'est pas trop pénible. Il faut croire que Bernard m'intéresse vraiment. En temps normal, j'ai beaucoup de difficulté avec l'apprivoisement, juste avant le premier baiser ; les silences qui n'en finissent plus ; le résumé de notre vie ; notre enfance et tout le tralala...

Tout s'est fait tranquillement et un peu maladroitement. Nous avons pris une certaine assurance en bien peu de temps. C'est qu'il y a toujours, une certaine période d'adaptation. Nos lèvres se connaissent assez bien et nos langues sont complices, l'une de l'autre.

C'est le cœur léger et les joues froides, que je

suis rentrée chez moi, à deux heures du matin. Ce qui n'est vraiment pas raisonnable, selon mon père. Je n'avais pas sitôt refermé la porte derrière moi que je m'ennuyais déjà de Bernard. Ma mitaine abandonnée reprenait tranquillement sa forme initiale. La main de Bernard l'ayant quittée, alors que son souffle chaud se dissipait au même moment, telle une brume matinale. Je me console, en me disant que sa salive fait maintenant partie de la mienne. Je ne pourrai jamais changer cela.

Évidemment, ce moment de bonheur intense, commandité par mon hypothalamus, fut vite assombri par mon cerveau, jusque-là hors d'usage. Surgissant des limbes, pour me rappeler cette première fois où un garçon m'avait embrassé. Expérience pour le moins traumatisante et franchement dégoûtante, alors que j'avais à peine douze ans.

N'ayant jamais été chanceuse au jeu de hasard, la bouteille n'a pas fait exception à la règle. Dans la même soirée, j'avais eu la chance (c'est un bien grand mot), d'embrasser trois garçons différents et le cœur n'y était pas tout le temps. J'en fais encore des cauchemars, juste à l'idée que la bave de ces trois mâles s'était mélangée à la mienne, et au souvenir de cet arrière-goût qui traînait dans ma gorge. J'avais mis plusieurs jours avant de m'en remettre. Morale de cette histoire : tout comme la boisson, il est préférable de ne pas faire de mélange dans la même soirée.

Je n'ai jamais de répit, chaque fois qu'il m'arrive quelque chose de bien, il faut toujours qu'un sombre souvenir vienne me hanter.

Aujourd'hui, je possède une expérience non négligeable, qui me permet d'apprécier le doux moment de cet échange avec quelqu'un que j'ai choisi.

Le lendemain matin, à la première heure, je persécute Michelle au téléphone et je m'invite carrément chez elle pour lui raconter ma soirée. Pour une fois, c'est moi qui ai quelque chose d'intéressant à raconter sur ma vie amoureuse.

— Imagine-toi, je l'ai enduré une soirée complète, sans prendre les nerfs et sans regarder l'heure une seule fois. On a parlé de toutes sortes de choses. Pour une fois que je rencontre quelqu'un d'intelligent, ça fait changement, tu trouves pas ?

— ...

— Ça fait changement, tu trouves pas Mimi ?

— Oui, oui, si tu le dis...

— Dis-le-moi tout de suite si je t'ennuie ?

— Non. C'est pas ça.

— C'est quoi d'abord ?

— Bof, je suis pas en forme ces temps-ci. Ça va aller mieux demain.

Michelle a vraiment l'air bête. Même mon père aurait l'air heureux, à côté d'elle.

Je l'invite à venir faire du patin, avec Bernard et moi. Ça ne pourra pas faire de tort à son teint, qui est aussi blanc que ses draps. Elle accepte avec un certain enthousiasme.

Le soleil vient parfois nous réchauffer de ses rayons, sur la patinoire. Michelle reprend tranquillement des couleurs et ça lui va à merveille.

Je suis, avec Mimi, la spécialiste du patinage sur la bottine. Il faut le faire, avec des patins à coquille rigide. Je n'ai aucun talent, c'est d'ailleurs la même chose avec les talons hauts. Mimi, la téméraire, s'est même lancée dans une chorégraphie impressionnante. Les doubles boucles piquées et les triples lutzs, ne lui font pas peur. Et que dire de sa traversée à plat ventre, d'un bout à l'autre de la patinoire ?

Bernard réussit à faire deux tours de patinoire, alors qu'on en fait un seul. Mon amie retrouve enfin sa bonne humeur.

Nous sommes allés au restaurant. J'aurais mangé n'importe quoi pour fuir la fatidique dinde et ses chers acolytes. L'atmosphère est douce et enjouée. Je remarque à peine les yeux tristes de Mimi. Son désarroi, très subtil, ne brouille pas mon bonheur. Je suis ailleurs, un peu déconnectée de la réalité.

J'abandonne Bernard et embrasse ses lèvres tendres. Mimi rentre avec moi.

Il fait froid. Nos bottes font un drôle de bruit, comme si nous marchions sur du papier d'aluminium. Je ne suis pas habituée au silence qui nous accompagne.

Devant chez moi, je l'invite à dormir. Elle refuse et me saute dans les bras. Je suis là, les bras battants au vent, ne sachant quoi faire, ne comprenant pas. Mes bras l'entourent et je la serre très fort. Nous restons immobiles, un frisson parcourt mon dos.

Michelle me remet une lettre :

— Promets-moi de pas l'ouvrir, avant demain matin.

Je promets. En temps normal, je lui aurais posé une quantité industrielle de questions, mais je m'abstiens. Je décide de jouer le jeu : je ferais tout pour lui faire plaisir.

Je la laisse partir avec un pincement au cœur. Je sens que quelque chose va arriver, j'ai un pressentiment. Je sais que je vais avoir une réponse dans la lettre. Mais j'ai promis, pas avant demain matin.

Chapitre 10

En soirée, la même journée.

C'est en ouvrant cette lettre que tout a subitement déboulé sur moi.

J'avais pourtant juré que je ne l'ouvrirais pas. Mais j'ai été incapable de résister, comme un enfant qui brasse ses cadeaux de Noël pour deviner ce qui s'y cache.

Les mains moites, j'ai déchiré la languette et retiré les quelques feuilles qui s'y trouvaient. J'ai commencé la lecture à voix haute, en imitant la voix de Michelle :

Salut Émilie,

Quand tu liras cette lettre, je serai déjà loin. Tu ne pourras plus m'arrêter. Libre, je serai libre comme l'air ! Aussi libre que la mer que tu aimes tant.

Je n'ai rien emporté, à part quelques bons souvenirs. Je me suis débarrassée de bien des problèmes.

Avant de partir, je voulais te dire que je t'aime et que j'ai toujours tenu à toi. Mais tu me connais, je largue les amarres. Je te fais une promesse : c'est la dernière fois que je vais le faire.

Pendant quelques secondes, j'ai cru qu'elle voulait partir à Montréal. Une petite fugue pour changer d'air, un peu. Plus je lisais, plus mes idées s'éclaircissaient.

Le voyage que Michelle voulait faire n'était ni à Montréal ni dans aucune autre ville que je connaissais. Elle avait choisi de faire le tour du monde. À vol d'oiseau. Elle pourrait maintenant le faire aussi souvent qu'elle le voudrait.

Ma vie est impossible. La plupart du temps. Ça ne sert à rien de s'accrocher, puisqu'il n'y a rien en avant de moi.

Une goutte de trop, juste une. Une solution lâche, de loser! J'imagine que tu ne peux pas comprendre. Même moi, je ne suis pas certaine de comprendre. J'ai peur, Milie. Peur d'être déçue par moi, par les autres. De ne pas être aimée autant que j'aime, moi. D'être abandonnée, comme un restant. Je ne suis plus sûre de croire à l'amour. Je n'ai plus de raison d'y croire.

Je ne sais pas ce qui m'attend de l'autre côté.

Ma vue s'embrouille, je n'arrive pratiquement plus à lire. Les lettres dansent et se mélangent devant mes yeux. Je suis une analphabète devant un mode d'emploi. Le cœur éclaté, je continue à lire, dans l'espoir d'y trouver autre chose. C'est sûrement autre chose. Une fois de plus, mon imagination s'emporte.

Finies les longues journées à l'école, les examens coulés, les conversations à sens unique avec ma mère et les peines d'amour.

Ma vie ne menait à rien. J'ai trop mal. Ce n'est pas normal de souffrir tout le temps. Pour la première fois dans ma vie, j'ai pris ma propre décision. J'ai pris le contrôle.

Je ne sais pas si j'ai choisi la bonne solution, mais c'est celle qui m'apparaît la plus simple. J'y avais souvent pensé avant, mais c'est aujourd'hui que j'ai décidé d'en finir.

J'avais déjà arrêté de lire à voix haute, depuis un bon moment. Mes mains tremblent tellement que je dois déposer la lettre sur mon lit.

Je manque d'air, me dirige vers la fenêtre et l'ouvre toute grande. Je hurle, comme si mon cri allait arrêter la chute de Michelle. Mon corps est secoué de sanglots incontrôlables, pendant que ma tête essaie désespérément de reprendre le contrôle sur moi-même. Mes mains s'agrippent aux poignées de la fenêtre, alors que les stores grimacent au contact de l'air froid.

Ce qui reste de mon cœur est en charpie, comme si quelqu'un le serrait dans ses mains. Il bat de plus en plus vite pour s'arracher de cette étreinte et échapper à l'absurde. La détresse me gruge l'intérieur, comme de vulgaires vers sur une carcasse de chien mort.

Je combats de toutes mes forces en me disant : « Voyons Émilie, c'est sûrement autre chose, tu lis trop d'histoires. »

Ce n'est qu'à ce moment-là que je réalise qu'il n'est peut-être pas trop tard. J'aurais dû lire la lettre demain matin.

Je me précipite dehors, en short boxer, avec un vieux tee-shirt. Je survole les marches, poussée par une force invisible. Le froid ne réussit pas à m'atteindre. J'ai trop mal à l'intérieur pour ressentir la douleur externe de la neige sur mes pieds. Mon âme se joint au vent et se perd.

J'approche de chez elle, mais je ne suis plus certaine de faire la bonne chose. Je viens de trahir ma meilleure amie. Ne pensant plus qu'à moi. À mon mal. Comme une égoïste.

Je fracasse la vitre de la porte avec la pelle. Je monte les escaliers, quatre à la fois, et m'arrête à sa porte. Dans ma tête, je récite quelque chose qui pourrait ressembler à une prière :

« Mon Dieu, Michelle fais pas ça. »

Elle est là, couchée sur son lit comme n'importe qui, en train de dormir. Un disque compact joue, je baisse le volume et murmure à bout de souffle :

— Michelle, c'est pas le temps de dormir, il faut que je te parle.

Son mascara a coulé. Michelle a pleuré avant… avant…

Ma gorge se noue terriblement.

La musique joue toujours. C'est sa chanson préférée, un vieux succès de 4 Non Blondes, « What's up ».

Twenty-five years and my life is still
Trying to get up that great big hill of hope
For a destination

Je lui tapote le bras pour qu'elle se réveille, mais elle ne bouge toujours pas.

And I realized quickly when I knew I should
That the world was made up of this brotherhood of man
For whatever that means
And so I cry sometimes
When I'm lying in bed
Just to get it all out
What's in my head
And I am feeling a little peculiar
And so I wake in the morning
And I step outside
And I take a deep breath and I get real high
And I scream from the top of my lungs

Elle a l'air tellement bien, dans les bras de Morphée.

What's going on ?

And I say, hey hey hey hey

And I say hey, what's going on ?

And I pray, oh my God do I pray

I pray every single day

For a revolution

Tout à coup, je me mets à la secouer comme une vraie folle. Persuadée qu'elle va sortir de sa torpeur.

Twenty-five years and my life is still

Tryin to get up that great big hill of hope

For a destination

— Criss Michelle, arrête de niaiser ! T'as pas le droit de me faire ça. T'as pas le droit !

J'arrête la chaîne stéréo. Je la prends dans mes bras et la serre tellement fort, que je ne sens plus l'air dans mes poumons. Je voudrais qu'elle se réveille et qu'elle me dise : « Es-tu folle ? Lâche-moi. T'es en train de m'étouffer. »

Elle reste muette. Je ne supporte pas son silence. Je veux le briser, mais aucun son ne sort de sa bouche.

Je la secoue doucement, puis de plus en plus brutalement :

— Réveille-toi Michelle, t'as pas le droit de faire ça ! Je t'aime moi ! Je t'aurais pas lâchée, moi !

Je me lance sur le mur pour faire éclater le cauchemar, pour reprendre mes esprits, pour arrêter de souffrir en dedans.

Une fois, deux fois, trois fois, dix, quinze, vingt fois ? Je ne le sais plus.

Je m'effondre, exténuée, et je pleure comme un bébé. Mon corps, telle une épave, se laisse transporter par la mer de détresse que sont mes sanglots.

Je donnerais tout pour revenir en arrière ; au moment où elle m'avait donné sa lettre. Mais il est trop tard. Son corps inerte n'est déjà plus habité par sa vitalité, que j'aimais tant. Rien au monde ne pourra jamais remplacer son rire. J'aimerais encore entendre son piaillement qui m'excédait tant, il y a une semaine.

Rien.

Le néant.

Je me sens abandonnée et impuissante. Mon corps est suspendu, je tombe, mon parachute ne s'ouvre pas et je crie, parce que je sais que c'est la seule chose qui me reste à faire. Nooooooooon !

À cet instant précis, je veux mourir. Avec elle. Pour ne jamais l'oublier, pour qu'elle reste toujours avec moi. J'ai besoin d'elle, et c'est seulement là que je le réalise.

Elle n'avait pas le droit. Pendant quelques secondes, je l'ai haï. J'ai haï ma meilleure amie, mon impuissance, et je me suis haï, moi aussi.

Je ne me souviens plus de rien. Je me retrouve dans l'ambulance, avec les vêtements de Mimi et sa lettre. L'odeur de ses vêtements me rassure, m'enveloppe.

L'ambulancier tente en vain de ramener Mimi avec nous. Manœuvre inutile.

Je veux lire la lettre jusqu'à la fin, mais j'en suis incapable. Je suis sûre qu'elle a eu autant de difficulté à l'écrire que j'en ai à la lire.

Avait-elle voulu m'appeler avant ?

Pourquoi ne l'avait-elle pas fait ?

Pourquoi ne m'en avait-elle pas parlé ?

Pourquoi m'avoir caché son désarroi ?

Pourquoi Michelle ? POURQUOI ?

À l'hôpital, ils n'ont fait que confirmer ce que je savais déjà. J'ai demandé à rester seule avec elle. J'ai repris la lettre du début.

Salut Émilie,

Quand tu liras cette lettre, je serai déjà loin. Tu ne pourras plus m'arrêter. Libre, je serai libre comme l'air ! Aussi libre que la mer que tu aimes tant.

Je n'ai rien apporté, à part quelques bons souvenirs. Je me suis débarrassée de bien des problèmes.

Avant de partir, je voulais te dire que je t'aime et que j'ai toujours tenu à toi. Mais tu me connais, je largue les amarres. Je te fais une promesse : c'est la dernière fois que je vais le faire.

Ma vie est impossible. La plupart du temps. Ça ne sert à rien de s'accrocher, puisqu'il n'y a rien en avant de moi.

Une goutte de trop, juste une. Une solution lâche, de loser ! J'imagine que tu ne peux pas comprendre. Même moi, je ne suis pas certaine de comprendre. J'ai peur, Milie. Peur d'être déçue par moi, par les autres. De ne pas être aimée autant que j'aime, moi. D'être abandonnée, comme un restant. Je ne suis plus sûre de croire à l'amour. Je n'ai plus de raison d'y croire.

Je ne sais pas ce qui m'attend de l'autre côté.

Finies les longues journées à l'école, les examens coulés, les conversations à sens unique avec ma mère et les peines d'amour.

Ma vie ne menait à rien. J'ai trop mal. Ce n'est pas normal de souffrir tout le temps. Pour la première fois dans ma vie, j'ai pris ma propre décision. J'ai pris le contrôle.

Je ne sais pas si j'ai choisi la bonne solution, mais c'est celle qui m'apparaît la plus simple. J'y avais souvent pensé avant, mais c'est aujourd'hui que j'ai décidé d'en finir.

Je n'arrête pas de vivre, j'arrête juste de souffrir. Je n'ai pas besoin de continuer pour savoir que ma place n'est pas ici. Je ne voudrais pas que tu sois triste, même si je sais que c'est impossible.

Toi, tu as toujours été douée pour être heureuse. Moi, non. Je laisse la place à d'autres. Essaie de penser à moi parfois, juste un peu, à nos bons souvenirs, à nos rires à s'en donner des crampes dans le ventre.

Je n'ai jamais rien regretté de ce que j'ai fait de ma vie. Je t'aime, tu es la seule personne qui ne m'a jamais déçue. Un jour, on va se revoir. J'attends, je te le promets.

Bye, Émilie !

Michelle xxx

Je me suis couchée à côté d'elle, en petite boule. J'ai attendu. J'ai attendu qu'on m'arrache à elle.

Épilogue

Un an plus tard, aujourd'hui.

Un an aujourd'hui, jour pour jour. Je ne sais pas comment je fais pour passer au travers de ce 27 décembre. Cette journée m'angoissait, me rongeait petit à petit ; le supplice de la goutte, l'appréhension de la rechute. Je n'y peux rien. Absolument rien. Tu me hantes, ton nom comme un écho qui rebondira à jamais en moi, immense caisse de résonance inépuisable.

Ton rire au loin, je crois l'entendre souvent dans le bruissement des arbres ou le gémissement d'une vague, minuscule ronronnement du vent. Tout cela me console, me rassure un peu.

Dehors, il neige paisiblement. Une ribambelle de petits flocons, légers et insouciants, envahissent le sol. Tout est calme, silencieux, le temps s'est assoupi pour toi. Le fleuve, presque immobile, disparaît sous la glace. C'est beau. Même si tu détestais l'hiver, tu ne pourrais pas rester indifférente. Toute la beauté du monde se répand devant ma fenêtre, dans une pointe de soleil, à l'ombre d'une goutte d'eau cristallisée.

Tu dois sourire de moi aujourd'hui. Je suis couchée dans mon lit, avec mon pyjama de flanellette. Le même que le tien, celui avec de gros cœurs rouges. Rien de vraiment romantique, ni de très séduisant d'ailleurs. Je me souviens de nos soirées de vieilles filles, alors que nous écoutions deux ou trois films. Sans oublier les quantités industrielles de cochonneries indigestes que nous engloutissions, et ce, jusqu'aux petites heures matinales.

Tu dois me trouver folle, de te parler comme ça. Mais il le faut.

J'ai l'impression que ça fait une éternité, pourtant c'est tellement clair dans ma tête que ça pourrait être hier. Aujourd'hui, je suis enfin capable de dire le mot et la phrase qui le complète.

— Michelle, ma meilleure amie, s'est suicidée. Mimi a décidé qu'elle avait vécu assez de drames.

Je suis capable, mais ça fait encore mal. Certains soirs, je souffre tellement à l'intérieur que j'ai le sentiment que je ne m'en sortirai jamais complètement. Hémorragie interne très lente, sans grande conséquence, à peine une petite douleur. Mais toujours présente. Ton absence a été remplacée par une petite douleur de presque rien.

Je ne peux pas entendre la sonnerie du téléphone sans croire quelques secondes que ce sera toi. Je ne m'habitue pas. J'imagine qu'on n'oublie jamais vraiment. J'ai cette cicatrice profonde dans le cœur ; les points de suture ont fondu depuis longtemps, mais la marque est là, à jamais, indélébile. Une petite tache de vécu.

J'ai gardé seulement une photo de toi, la plus belle. Je conserve aussi un chandail de laine, autrefois oublié chez moi. Il sent bon. Je me souviens que nous étions allées près de l'eau ; il sent la mer, le sel et toi, en même temps. Heureux mélange. Je ne l'ai pas lavé. Souvent, je prends une grande respiration dedans, ça me fait tellement de bien. Il m'arrive aussi de l'enfiler. Seulement quand je suis seule. J'ai alors l'impression que tu es avec moi. Ton âme se faufile, me rejoint. M'enveloppant complètement, je me sens alors protégée de ton absence dans ma vie. Je ne parle pratiquement jamais de toi avec personne, pas même avec Bernard. Trop ardu, je n'ai pas le goût d'expliquer l'inexplicable. C'est un secret, le nôtre, le seul qu'il nous reste.

J'ai beaucoup changé. Pas physiquement, mon poids santé se porte bien. Mais dans ma tête. On dirait que j'ai vieilli de dix ans, j'ai mûri, j'ai appris plus de choses en un an que durant tout le reste de mon existence. J'essaie d'être un peu moins tourmentée, pas évident du tout. J'espère que tu m'as donné un peu de ton insouciance, de ta belle naïveté. J'en ai bien besoin, je vieillis trop vite. La vie me fait vieillir rapidement. On me vole mon enfance.

Si tu savais comme c'est difficile, de ne pas penser à toi. Quasi impossible de faire une seule enjambée à la polyvalente, sans tomber sur un de tes anciens copains. Je n'avais encore jamais réalisé, le nombre impressionnant de gars qui avaient craqué pour toi. Tu avais cette capacité d'attirer le regard, de séduire, aussi naturellement que je respire.

Peu à peu, je me suis habituée à ton absence. Un vide immense, un trou noir.

Au début, j'ai eu honte de toi, de ton geste, de moi. Je ne comprenais pas, je t'en voulais, j'en voulais au monde entier. Aujourd'hui, je ne comprends toujours pas, mais je n'ai plus honte, je me fous de ce que pensent les autres.

Je me suis sentie trahie. Difficile de concevoir que tu n'as pas voulu te confier à moi. Pourtant, nous étions si proches l'une de l'autre, enfin, c'est ce que je croyais. La détresse est solitaire.

Malgré toutes les recherches et les statistiques sur le suicide, je persiste à dire que c'était ta vie ; tu en as fait ce que tu voulais. C'est un peu ça, la liberté. Mais je serai toujours inquiète, un doute subsiste encore : était-ce vraiment ce que tu voulais ?

Le pire c'est que je ne le saurai jamais. C'est ça qui est le plus difficile : l'ignorance et l'incertitude.

Avec toi, il n'y avait jamais de demi-mesures. Blanc ou noir. Tu as toujours été un peu trop passionnée. Tu faisais partie de cette catégorie de gens qui souffre plus souvent que les autres. Nous sommes pareilles. C'est exactement pour ça qu'on nous apprend, en bas âge, à être raisonnables. Mais toi, tu n'as jamais su l'être. Indomptable, un animal sauvage.

Tu as été courageuse et lâche à la fois, on ne peut trancher. Je crois que ce n'est aucun des deux. C'était simplement la seule issue que tu voyais à tes problèmes. Tout ce qui importait, c'était la fin de la souffrance.

Aucun psychiatre ne pourra affirmer quoi que ce soit sur toi, sur ta décision, puisqu'il n'était pas à ta place. On ne peut jamais palper une âme, parce qu'elle est invisible et insaisissable, à l'image du temps. C'est facile de déblatérer des théories et de faire des suppositions à l'infini, mais ça ne sert à rien. De l'énergie dépensée dans le vide, puisque tu ne reviendras pas.

Alors que tu dépérissais à vue d'œil, moi je

tombais en amour pour la première fois. Paradoxe troublant. Au moment même où la vie s'éveillait enfin en moi, la mort sommeillait de ton côté.

Le pire, c'est que je n'ai rien remarqué de particulier. Enfin presque. Nous avions si souvent de ces petites périodes noires, que celle-ci ne m'a pas paru pire. Si bavarde en temps normal, je n'avais jamais saisi que, derrière cette avalanche de paroles, se cachait quelqu'un d'aussi vulnérable. C'est aujourd'hui que je le réalise. Trop tard.

Je sais que parfois, j'étais dure avec toi. J'avais souvent l'impression de réfléchir pour deux, je te voyais courir dans toutes les directions. Tu voulais vivre tout. Le plus rapidement possible. Peut-être que tu sentais à l'intérieur de toi que le temps était précieux, qu'il fallait en profiter.

Je ne connais pas vraiment ta version de l'histoire. Pourtant, on avait promis de tout se dire. La vie n'est que mensonge. Une immense cachotterie.

J'imagine que tu veilles sur moi depuis ton départ. C'est maintenant ton nouveau rôle. J'ai toujours une multitude de questions qui traversent mon esprit. À partir de maintenant, je n'essaierai presque plus d'y répondre. Je dépenserai mon énergie plutôt à accepter ton choix. Ce n'est pas une mince tâche. C'est un combat continuel, il n'y aura jamais de vainqueur. Une lutte pour la vie, pour ceux qui restent.

C'est le genre d'événement qui change une vie. Qui bouleverse tout, chavirant mes valeurs encore incertaines, éclaboussant ma vision de l'avenir, emportant dans le déluge une partie de mes fondations. Une remise en question totale, incontournable, sans merci.

J'ai refusé d'aller te voir au salon. Je ne voulais pas garder cette dernière image de toi. Une pâle copie, froide et changée, tellement loin de ce que j'ai connu. Je voulais juste garder ton sourire en mémoire et ton rire contagieux. Refusant l'image du corps endormi pour toujours, l'absence du souffle. Je préfère croire que pendant ce temps-là, tu faisais déjà le tour du monde, à vol d'oiseau. Impatiente, nous survolant tous. Poursuivant ta route, une brève escale à Saint-Joseph-de-la-Rive.

Je n'ai pas pleuré une seule fois aujourd'hui. Après un an, les souvenirs ont remplacé les larmes. On s'habitue à tout. Tout s'apprivoise, même la mort prématurée.

Personne n'a pris ta place dans mon cœur, là, juste sous la cicatrice.

Il y a Bernard, il fait partie de ma vie maintenant. Sa complicité, sa douceur et ses silences agissent comme un baume sur moi, engourdissant les soirs plus ardus. J'aurais tellement aimé te dire que je venais de faire l'amour pour la première fois. Tu étais la seule confidente de ma petite existence. Je ne l'ai dit à personne. Mes parents s'en doutent bien, les yeux ne mentent jamais. Je l'ai appris à mes dépens, trop tard pour toi.

J'ai vu ta mère l'autre fois, elle t'aimait vraiment beaucoup. Elle me l'a dit. Sur la Terre, il y avait au moins deux personnes qui t'aimaient. Il me semble que ça pouvait être une bonne raison de vivre. Ce n'était pas Charles ni Paul, ce n'était peut-être pas le genre d'amour que tu recherchais, mais il était quand même là.

Nous n'avons pas su te le montrer correctement. Tu n'as pas su le trouver.

Rencontre manquée. Fatale.

Je suis maintenant certaine qu'il n'y a pas de coupables. Trop facile. Il faut arrêter de chercher.

On peut difficilement retenir quelqu'un qui veut partir. C'est comme ça. On finit toujours par s'en aller, d'une façon ou d'une autre. Tu as pris la façon radicale, sans détour. C'était la seule solution que tu voyais pour mettre fin à tes drames.

Les départs sont inévitablement déchirants. Surtout lorsqu'ils sont définitifs.

Le véritable défi, Mimi, ce n'était pas de laisser tomber, mais de vivre par-dessus tout, malgré tout.

Écœurer la mort.

Lui montrer que l'on est plus forte qu'elle.

C'est ça, le plus difficile. Vivre.

Chaque jour, je me bats contre la mort, je la nargue, même si je sais que c'est elle qui finit toujours par vaincre. Le soleil se couche assidûment sur ma petite victoire du quotidien.

Je constate que la vie est remplie de contradictions, alors que de grosses larmes roulent sur mes joues. Tu me manques horriblement.

Chaque moment de bonheur que j'ai, je pense un peu à toi. Je les partage avec toi.

J'ai l'impression de vivre pour deux.

Je m'ennuie tellement.